하루 한 장 60일 집중 완성

교과도형

초5

E1

다각형의 둘레와 넓이

에듀히어로 Edu HERO

"진짜 히어로는 우리 아이들입니다!"

에듀히어로는
우리 아이들이 밝고 건강한 내일을 꿈꿀 수 있도록
긍정적이고 효과적인 교육 서비스를 제공하는 것을
최우선 목표로 하고 있습니다.

그 존재만으로도 든든한 히어로처럼 아이들의 곁에서 힘이 되어주고,
나아가 아이들 각자가 스스로의 인생 속 히어로가 될 수 있도록

우리는 진심과 열정을 다해 아이들과 함께 할 것을 약속 드립니다.

네이버 카페
교재 상세 소개와 진단 테스트
및 유용하게 풀 수 있는
학습 자료를 다운로드 해 보세요.

인스타그램
에듀히어로 인스타그램을
팔로우하시면 다양한 이벤트와
신간 소식을 빠르게 만나보실
수 있습니다.

카카오톡 채널
자녀 수학 공부 상담 및
자유로운 질문을 남겨 주세요.
함께 고민하고
답변해 드리겠습니다.

히어로컨텐츠 HEROCONTENS

발행일: 2023년 1월   발행인: 이예찬

기획개발: 두줄수학연구소

디자인: 4BD STUDIO   삽화: 1000DAY

발행처: 히어로컨텐츠

주소: 서울특별시 금천구 서부샛길 632, 7층(대륭테크노타운5차)

전화: 02-862-2220   팩스: 02-862-2227

지원카페: cafe.naver.com/eduherocafe   인스타그램: @edu__hero

하루 한 장 60일 집중 완성 교과도형은

달라진 교과서와 학교 수업 진도에 맞추어 학습자가 체계적으로 도형을 학습할 수 있도록 안내합니다.

이전의 도형 학습이 도형의 정의와 성질을 외우고, 도형의 측정결과를 계산하는 '결과' 중심의 학습이었다면 지금의 도형 학습은 공간에 대한 이해와 해석(공간감각)을 바탕으로 모양을 인식하고 변화를 유추하고 다양한 방법으로 도형을 측정하고 그 결과를 표현하는 '과정' 중심의 학습입니다.

교과도형은 수학교육의 변화와 핵심을 이해하고 올바른 방향을 제시해 주는 든든한 길잡이가 될 것입니다.

하루 한 장 60일 집중 완성 교과도형은

① 공간감각 ② 도형표현 ③ 도형측정을 중심으로 교과서에서 다루는 모든 도형을 체계적으로 학습합니다.

공간감각

도형을 효과적으로 학습하기 위해서는 공간을 이해하고 해석하는 능력, 즉 '공간감각'이 필요합니다.

공간감각은 경험과 상상력을 바탕으로 머릿속에서 도형을 조작하고 결과를 유추하는 능력입니다. 공간감각은 단시간에 길러지지 않으므로 어릴 때부터 꾸준하게 학습하고 구체적인 경험을 쌓는 것이 중요합니다.

'교과도형'의 각 권 마지막에 있는 '도형플러스'는 각 권의 학습목표와 연계하여 공간감각을 한 단계 더 높여줄 수 있는 내용으로 구성하였습니다.

도형표현

공간에 존재하는 도형은 표현되었을 때 더 큰 의미를 가집니다.

- 삼각형을 찾는 것에서 그치지 않고 다양한 삼각형을 직접 그려 보고 왜 삼각형인지 설명하는 것
- 쌓기나무로 만든 모양을 위치와 방향을 이용하여 설명하는 것
- 도형을 여러 가지 기준과 특징에 따라 분류하고 왜 그렇게 분류했는지 설명하는 것
- 도형을 위·앞·옆에서 바라보고 그 모습을 그림으로 표현하는 것 등이 모두 '도형표현'입니다.

'교과도형'은 도형과 관련한 작은 그림에서부터 서술형 문장제까지 도형을 표현하는 다양한 방법을 효과적으로 학습합니다.

도형측정

측정은 도형과 아주 밀접한 관계가 있으므로 도형을 학습하면서 반드시 함께 다루어야 하는 영역입니다.

길이, 각도, 둘레, 넓이, 부피 등 흔히 '도형' 영역이라 생각하는 것이 사실 초등 교육과정에서는 '측정' 영역에 해당합니다. 사각형을 학습하는 것은 도형이지만 사각형의 둘레와 넓이를 구하는 것은 측정입니다. 각의 종류를 학습하는 것은 도형이지만 각도를 재는 것은 측정입니다. 이처럼 길이, 각도, 둘레, 넓이, 부피 등은 결국 도형을 측정하는 것입니다.

'교과도형'은 교과서의 모든 '도형' 영역을 다루었습니다. 여기에 도형과 반드시 연계하여 학습해야 하는 '측정' 영역을 추가로 다루어 더욱 완성된 도형 학습을 할 수 있도록 도와줍니다.

하루 한 장 60일 집중 완성 교과도형은

7세부터 6학년까지 총 7단계 21권(단계별 3권)으로 구성되어 있으며 각 권은 매일 한 장씩 4주간 체계적으로 학습할 수 있습니다.

1권, 20일

2권, 20일

3권, 20일

대 상	단 계	구 성
7세 ~ 1학년	P	P1, P2, P3
1학년	A	A1, A2, A3
2학년	B	B1, B2, B3
3학년	C	C1, C2, C3
4학년	D	D1, D2, D3
5학년	E	E1, E2, E3
6학년	F	F1, F2, F3

교과도형의 각 단계는 1, 2, 3권을 차례대로 학습합니다.

교과도형, 한 권이면 충분합니다

교과도형은 공간감각, 도형표현, 도형측정을 중심으로 교과서에서 다루는 모든 도형을 학습하고,
공간감각 향상을 위한 '도형플러스'와 학습 결과를 확인하는 '형성평가'를 제공합니다.

1 주차별 학습

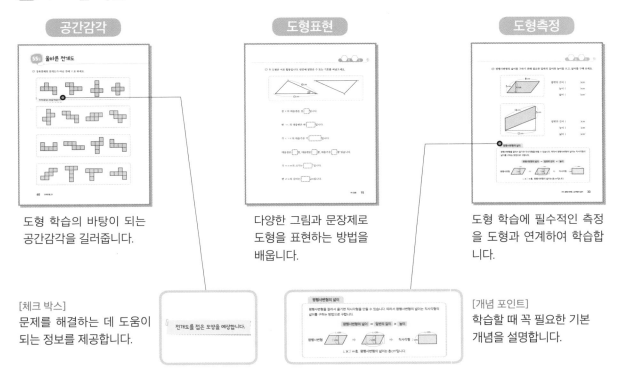

공간감각

도형 학습의 바탕이 되는
공간감각을 길러줍니다.

도형표현

다양한 그림과 문장제로
도형을 표현하는 방법을
배웁니다.

도형측정

도형 학습에 필수적인 측정
을 도형과 연계하여 학습합
니다.

[체크 박스]
문제를 해결하는 데 도움이
되는 정보를 제공합니다.

[개념 포인트]
학습할 때 꼭 필요한 기본
개념을 설명합니다.

2 도형플러스

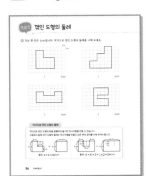

각 권의 학습 주제와
연계하여 공간감각을
더욱 향상시킵니다.

3 형성평가

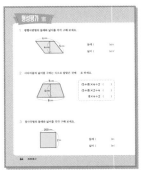

학습한 내용을 다시 한 번
복습하고 정리합니다.

이 책의 차례

1주차
01~05일

다각형의 둘레

정다각형의 둘레

정다각형의 둘레를 구해 보세요.

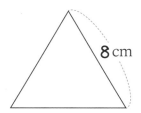

식 ⬚ × 3 = ⬚

답 _____ cm

식 7 × ⬚ = ⬚

답 _____ cm

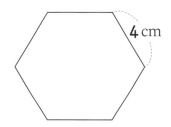

식 _____

답 _____ cm

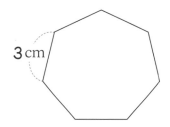

식 _____

답 _____ cm

정다각형의 둘레

정다각형은 변의 길이가 모두 같으므로 정다각형의 둘레는 정다각형의 한 변의 길이를 변의 수만큼 곱해서 구합니다.

정다각형의 둘레 = 한 변의 길이 × 변의 수

$3+3+3+3+3=15$ ➡ $3×5=15$
정오각형의 둘레는 15 cm입니다.

정다각형의 둘레가 다음과 같습니다. 빈칸에 알맞은 수를 써넣으세요.

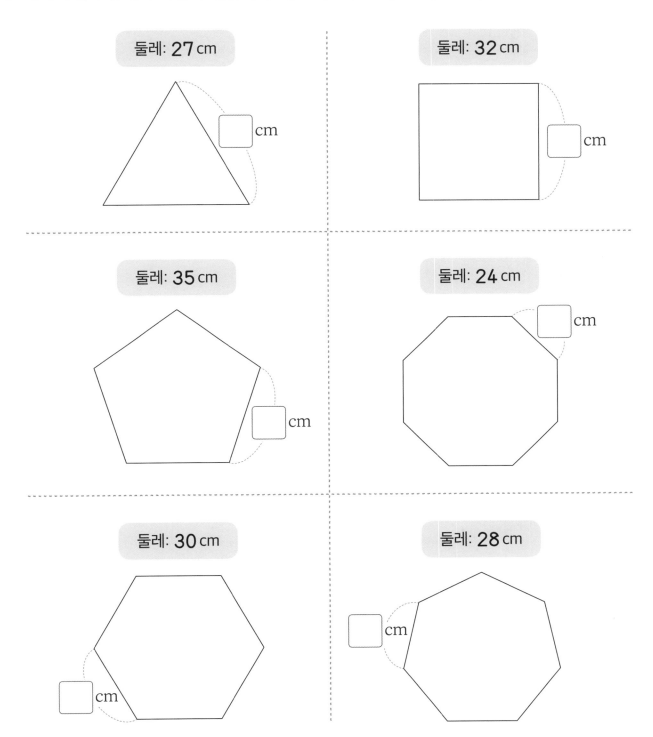

둘레: 27 cm

□ cm

둘레: 32 cm

□ cm

둘레: 35 cm

□ cm

둘레: 24 cm

□ cm

둘레: 30 cm

□ cm

둘레: 28 cm

□ cm

직사각형의 둘레

💬 직사각형의 둘레를 구해 보세요.

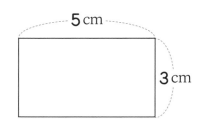

식 (5 + ☐) × ☐ = ☐

답 _____ cm

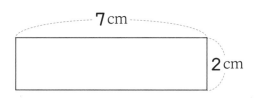

식 (☐ + 2) × ☐ = ☐

답 _____ cm

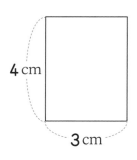

식 _____

답 _____ cm

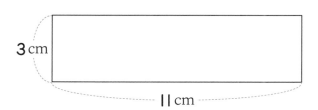

식 _____

답 _____ cm

직사각형의 둘레

직사각형은 마주 보는 두 변의 길이가 같으므로 직사각형의 둘레는 가로와 세로를 더한 다음, 2배 합니다.

직사각형의 둘레 = (가로 + 세로) × 2

$4+2+4+2=12$ ➡ $4×2+2×2=12$ ➡ $(4+2)×2=12$
직사각형의 둘레는 12 cm입니다.

💬 물음에 답하세요.

가로와 세로의 합이 **20** cm인 직사각형의 둘레는 몇 cm일까요?

( )cm

직사각형의 둘레가 **24** cm입니다. 직사각형의 세로는 몇 cm일까요?

가로와 세로의 합을 구합니다.

9 cm

( )cm

직사각형의 둘레가 **36** cm입니다. 직사각형의 가로는 몇 cm일까요?

6 cm

( )cm

직사각형 그리기

모눈 한 칸은 1cm입니다. 둘레가 다음과 같고, 주어진 선분을 한 변으로 하는 직사각형을 완성해 보세요.

둘레: 10 cm

둘레: 16 cm

둘레: 18 cm

둘레: 22 cm

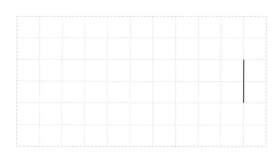

둘레: 20 cm

둘레: 24 cm

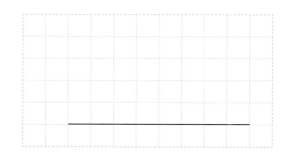

💬 모눈 한 칸은 Ⅰcm입니다. 설명에 맞는 직사각형을 그려 보세요.

Ⅰcm

Ⅰcm

- 둘레가 Ⅰ4 cm입니다.
- 가로가 세로보다 **3** cm 더 깁니다.

- 둘레가 Ⅰ4 cm입니다.
- 가로가 세로보다 Ⅰcm 더 짧습니다.

- 둘레가 20 cm입니다.
- 가로와 세로의 길이가 같습니다.

- 둘레가 20 cm입니다.
- 가로가 세로보다 **4** cm 더 깁니다.

💬 평행사변형의 둘레를 구해 보세요.

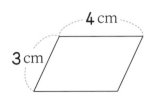

식 (4 + ☐) × ☐ = ☐

답 _____ cm

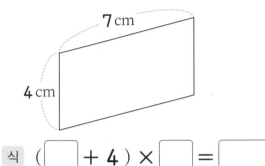

식 (☐ + 4) × ☐ = ☐

답 _____ cm

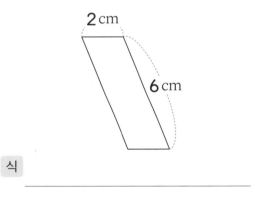

식 _____

답 _____ cm

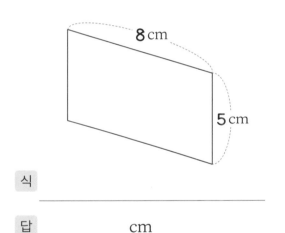

식 _____

답 _____ cm

평행사변형의 둘레

평행사변형은 마주 보는 두 변의 길이가 같으므로 평행사변형의 둘레는 한 변과 다른 변의 길이를 더한 다음, 2배 합니다.

평행사변형의 둘레 = (한 변의 길이 + 다른 한 변의 길이) × 2

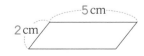

$5+2+5+2=14$ ➡ $5×2+2×2=14$ ➡ $(5+2)×2=14$
평행사변형의 둘레는 14 cm입니다.

평행사변형의 둘레가 다음과 같습니다. 빈칸에 알맞은 수를 써넣으세요.

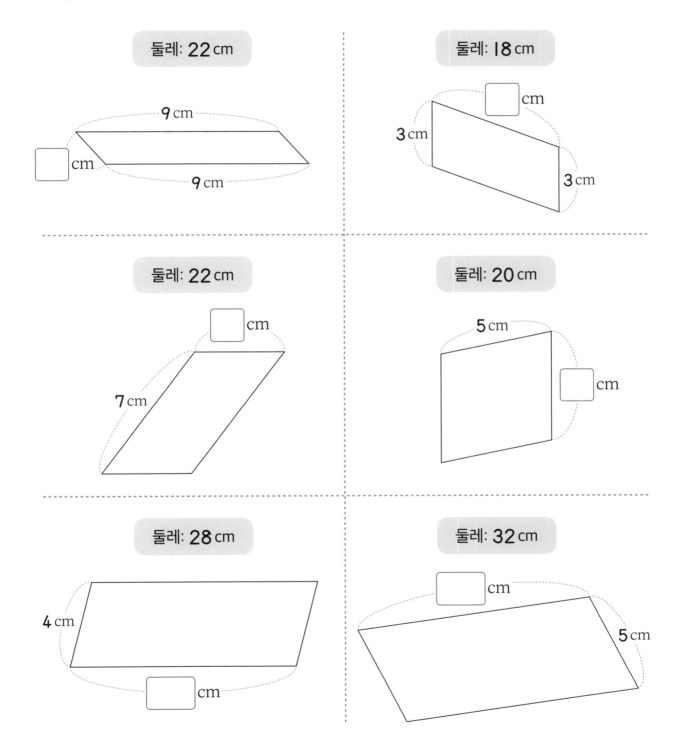

둘레: 22 cm

9 cm

◻ cm

9 cm

둘레: 18 cm

◻ cm

3 cm

3 cm

둘레: 22 cm

◻ cm

7 cm

둘레: 20 cm

5 cm

◻ cm

둘레: 28 cm

4 cm

◻ cm

둘레: 32 cm

◻ cm

5 cm

마름모의 둘레

🕐 마름모의 둘레를 구해 보세요.

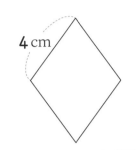

4 cm

식 ☐ × 4 = ☐

답 _____ cm

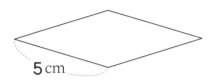

5 cm

식 5 × ☐ = ☐

답 _____ cm

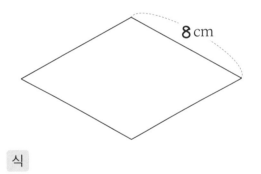

8 cm

식 _____

답 _____ cm

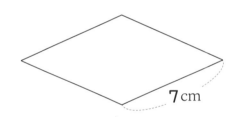

7 cm

식 _____

답 _____ cm

마름모의 둘레

마름모는 네 변의 길이가 모두 같으므로 마름모의 둘레는 한 변의 길이를 4배 합니다.

마름모의 둘레 = 한 변의 길이 × 4

3 cm

$3+3+3+3=12$ ➡ $3 \times 4 = 12$

마름모의 둘레는 12 cm입니다.

💬 물음에 답하세요.

마름모의 둘레가 **40** cm입니다. 마름모의 한 변의 길이는 몇 cm일까요?

(   )cm

마름모 **가**의 둘레는 마름모 **나**의 둘레보다 몇 cm 더 길까요?

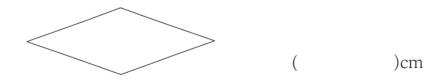

(   )cm

정오각형과 마름모의 둘레가 같습니다. 마름모의 한 변의 길이는 몇 cm일까요?

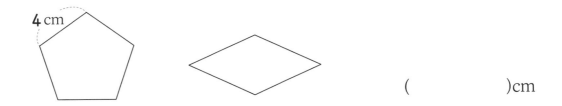

(   )cm

💬 물음에 답하세요.

직사각형과 정사각형의 둘레가 같습니다. 빈칸에 알맞은 수를 써넣으세요.

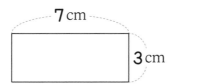
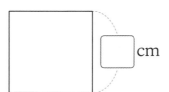

정사각형과 정육각형의 둘레가 같습니다. 빈칸에 알맞은 수를 써넣으세요.

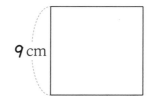
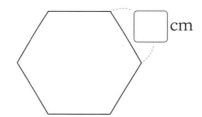

다음 정다각형 중에서 둘레가 다른 정다각형의 이름을 써 보세요.

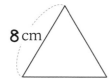

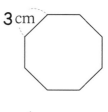

(   )

직사각형의 넓이

넓이의 단위 1cm²

🈁 직사각형의 넓이를 구해 보세요.

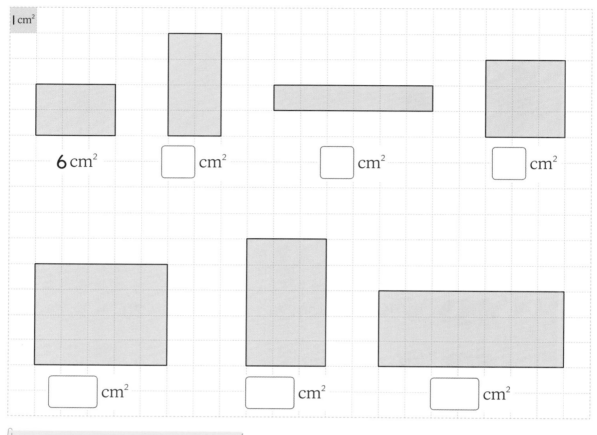

1cm²

6 cm²

☐ cm²

☐ cm²

☐ cm²

☐ cm²

☐ cm²

☐ cm²

📎 직사각형 안에 1cm²가 얼마나 있는지 세어 봅니다.

단위넓이

넓이를 나타낼 때 한 변의 길이가 1cm인 정사각형의 넓이를 단위로 사용할 수 있습니다.
이 정사각형의 넓이를 1cm²라 쓰고, 1제곱센티미터라고 읽습니다.

길이의 단위   1cm

넓이의 단위   1cm
                1cm 1cm²

쓰기 1cm²
읽기 1제곱센티미터

🎈 도형의 넓이가 다른 것 하나를 찾아 기호를 써 보세요.

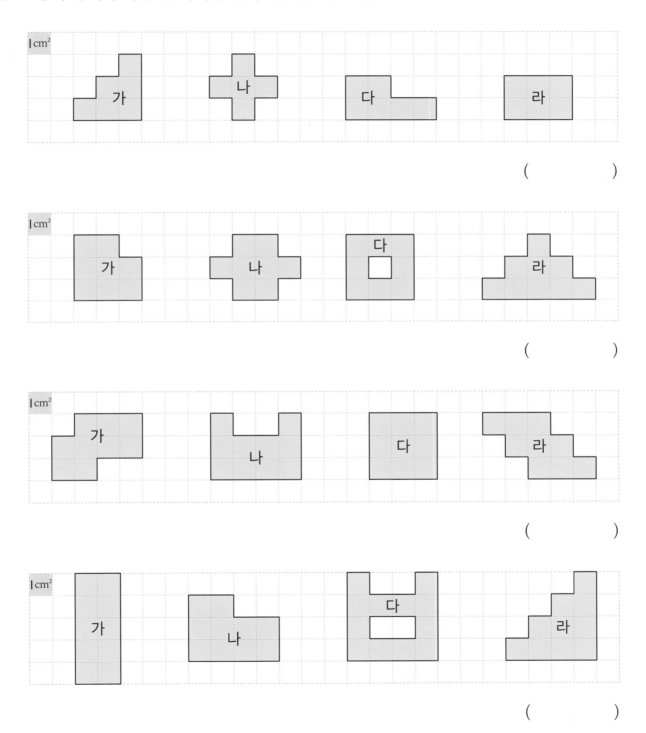

( )

( )

( )

( )

직사각형의 넓이

① 직사각형의 넓이를 구해 보세요.

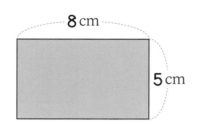

식 [ ] × 5 = [ ]

답 _____ cm²

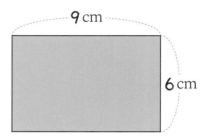

식 9 × [ ] = [ ]

답 _____ cm²

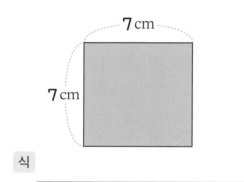

식 _____

답 _____ cm²

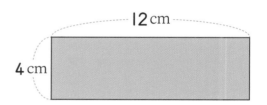

식 _____

답 _____ cm²

직사각형의 넓이

직사각형의 가로와 세로에 1 cm²가 몇 개 있는지 세어 넓이를 구할 수 있습니다.

$$직사각형의\ 넓이 = 가로 \times 세로$$

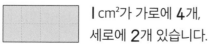

1 cm²가 가로에 4개, 세로에 2개 있습니다.

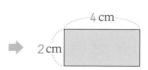

4 × 2 = 8
직사각형의 넓이는 8 cm²입니다.

🏋 직사각형의 넓이를 구해 보세요.

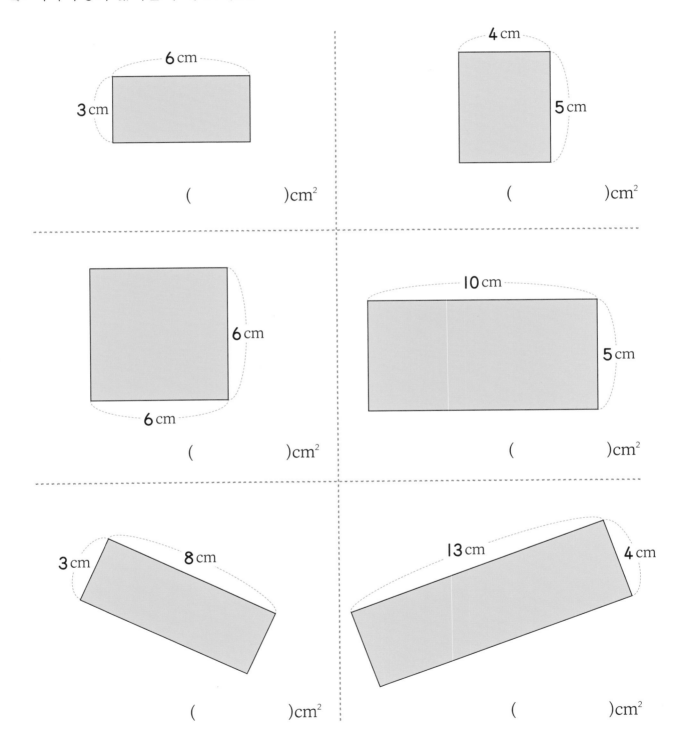

6 cm

3 cm

(   )cm²

4 cm

5 cm

(   )cm²

6 cm

6 cm

(   )cm²

10 cm

5 cm

(   )cm²

3 cm
8 cm

(   )cm²

13 cm
4 cm

(   )cm²

⓫ 직사각형의 넓이가 다음과 같습니다. 빈칸에 알맞은 수를 써넣으세요.

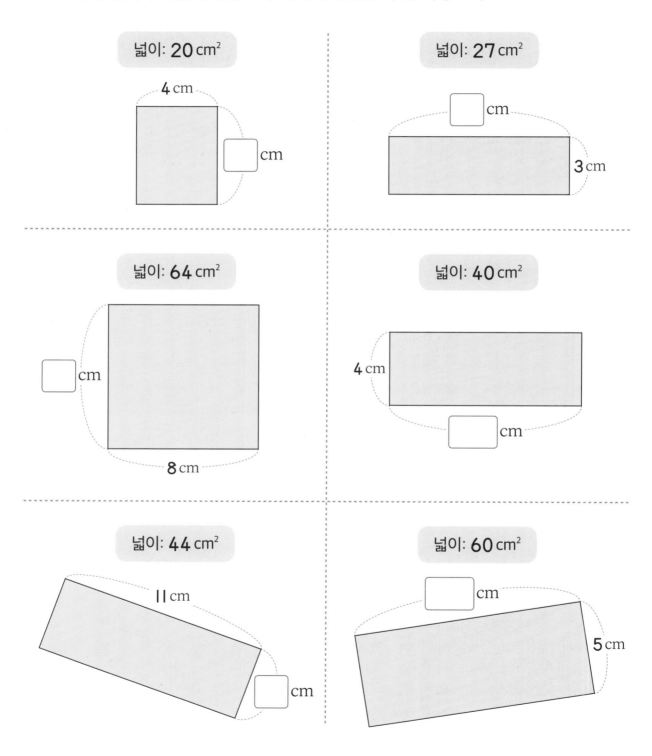

넓이: 20 cm²
4 cm
◻ cm

넓이: 27 cm²
◻ cm
3 cm

넓이: 64 cm²
◻ cm
8 cm

넓이: 40 cm²
4 cm
◻ cm

넓이: 44 cm²
11 cm
◻ cm

넓이: 60 cm²
◻ cm
5 cm

💬 물음에 답하세요.

넓이가 36 cm²인 정사각형의 한 변의 길이는 몇 cm일까요?

(   )cm

넓이가 81 cm²인 정사각형의 둘레는 몇 cm일까요?

(   )cm

둘레가 40 cm인 정사각형이 있습니다. 이 정사각형의 넓이는 몇 cm²일까요?

(   )cm²

정사각형의 넓이

정사각형은 가로와 세로의 길이가 같으므로 간단하게 넓이를 구할 수 있습니다.

정사각형의 넓이 = 한 변의 길이 × 한 변의 길이

둘레와 넓이의 관계

🎵 표를 완성하고, 빈칸에 알맞은 수를 써넣으세요.

둘레가 12cm인 직사각형

가로(cm)	1	2	3		
세로(cm)	5			2	1
넓이(cm²)	5				

> 가로와 세로의 합은 둘레의 절반입니다.

둘레가 12cm일 때 넓이가 가장 큰 직사각형의 넓이는 ☐ cm²입니다.

둘레가 16cm인 직사각형

가로(cm)		2		4		6	
세로(cm)	7		5		3		1
넓이(cm²)							

둘레가 16cm일 때 넓이가 가장 큰 직사각형의 넓이는 ☐ cm²입니다.

11 표를 완성하고, 빈칸에 알맞은 수를 써넣으세요.

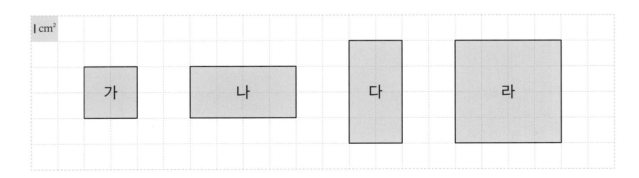

직사각형	가	나	다	라
가로(cm)				
세로(cm)				
넓이(cm²)				

나와 다의 넓이는 각각 가의 넓이의 [ ]배입니다.

라의 넓이는 가의 넓이의 [ ]배입니다.

직사각형의 가로가 2배 길어지면 넓이는 [ ]배 넓어집니다.

직사각형의 세로가 2배 길어지면 넓이는 [ ]배 넓어집니다.

직사각형의 가로와 세로가 각각 2배씩 길어지면 넓이는 [ ]배 넓어집니다.

1m², 1km²

⓫ 빈칸에 알맞은 수 또는 단위를 써넣으세요.

$1\,m^2 = \boxed{}\,cm^2$

$30000\,cm^2 = \boxed{}\,m^2$

$25\,m^2 = \boxed{}\,cm^2$

$500000\,cm^2 = \boxed{}\,m^2$

$7\,km^2 = \boxed{}\,m^2$

$2000000\,m^2 = \boxed{}\,km^2$

$40\,km^2 = \boxed{}\,m^2$

$80000000\,m^2 = \boxed{}\,km^2$

$80000\,cm^2 = 8\,\boxed{}$

$1000000\,m^2 = 1\,\boxed{}$

$60000000\,m^2 = 60\,\boxed{}$

$300\,m^2 = 3000000\,\boxed{}$

1 m² , 1 km²

넓이를 나타낼 때 한 변의 길이가 1 m 또는 1 km인 정사각형의 넓이를 단위로 사용할 수 있습니다.
한 변의 길이가 1 m인 정사각형의 넓이를 1 m²라 쓰고, 1 제곱미터라고 읽습니다.
한 변의 길이가 1 km인 정사각형의 넓이를 1 km²라 쓰고, 1 제곱킬로미터라고 읽습니다.

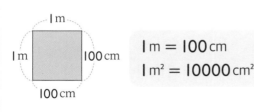

$1\,m = 100\,cm$
$1\,m^2 = 10000\,cm^2$

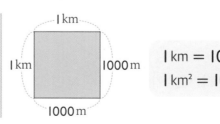

$1\,km = 1000\,m$
$1\,km^2 = 1000000\,m^2$

1 m²에는 1 cm²가 10000개 있습니다.(가로에 100개, 세로에 100개)
1 km²에는 1 m²가 1000000개 있습니다.(가로에 1000개, 세로에 1000개)

11 직사각형의 넓이를 구해 보세요.

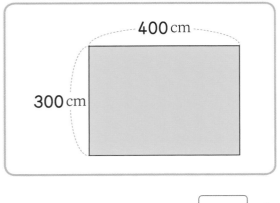

m²

cm²

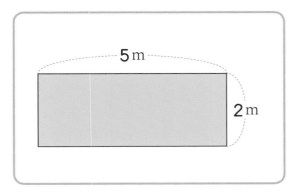

m²

cm²

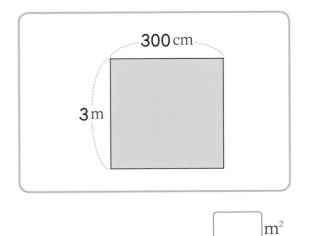

m²

cm²

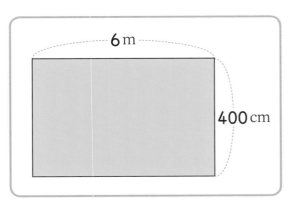

m²

cm²

📝 직사각형의 넓이를 구해 보세요.

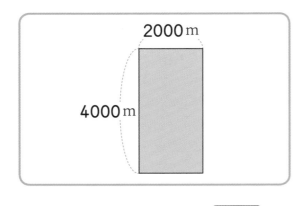

□ km²

□ m²

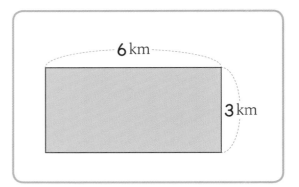

□ km²

□ m²

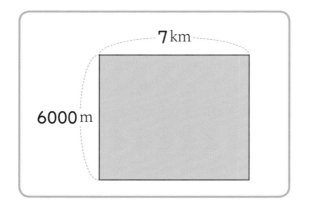

□ km²

□ m²

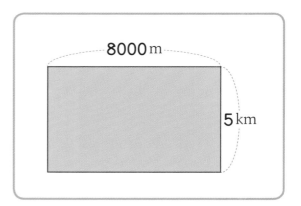

□ km²

□ m²

3주차
11~15일

평행사변형, 삼각형의 넓이

평행사변형의 넓이를 구해 보세요.

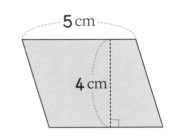

식 $\boxed{} \times 4 = \boxed{}$

답 _____ cm²

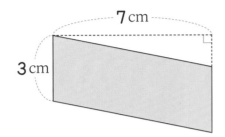

식 $3 \times \boxed{} = \boxed{}$

답 _____ cm²

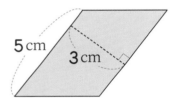

식 _____

답 _____ cm²

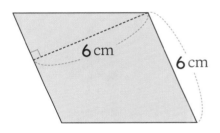

식 _____

답 _____ cm²

밑변과 높이

평행사변형에서 평행한 두 변을 밑변이라 하고, 두 밑변 사이의 거리를 높이라고 합니다.
높이는 한 밑변에서 마주 보는 밑변으로 그은 **수직**인 선분의 길이입니다.

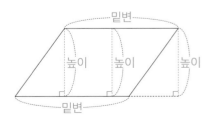

⑪ 평행사변형의 넓이를 구하기 위해 필요한 밑변의 길이와 높이를 쓰고, 넓이를 구해 보세요.

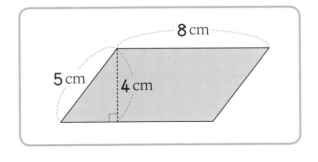

밑변의 길이 ( )cm

높이 ( )cm

넓이 ( )cm²

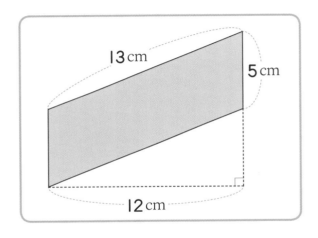

밑변의 길이 ( )cm

높이 ( )cm

넓이 ( )cm²

평행사변형의 넓이

평행사변형을 잘라서 옮기면 직사각형을 만들 수 있습니다. 따라서 평행사변형의 넓이는 직사각형의 넓이를 구하는 방법으로 구합니다.

$$평행사변형의 넓이 = 밑변의 길이 \times 높이$$

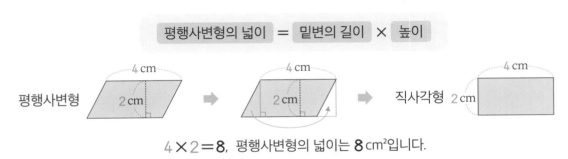

$4 \times 2 = 8$, 평행사변형의 넓이는 8 cm²입니다.

삼각형의 넓이

🔘 삼각형의 넓이를 구해 보세요.

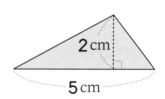

식 [ ] × 2 ÷ 2 = [ ]

답 _____ cm²

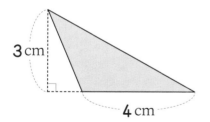

식 4 × [ ] ÷ [ ] = [ ]

답 _____ cm²

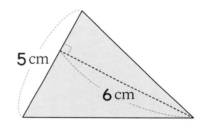

식 _____

답 _____ cm²

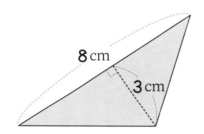

식 _____

답 _____ cm²

밑변과 높이

삼각형에서 어느 한 변을 밑변이라 하고, 그 밑변과 마주 보는 꼭짓점에서 밑변에 **수직**으로 그은 선분의 길이를 높이라고 합니다.

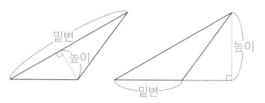

⚡ 삼각형의 넓이를 구하기 위해 필요한 밑변의 길이와 높이를 쓰고, 넓이를 구해 보세요.

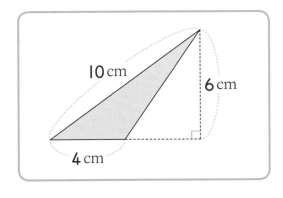

밑변의 길이 ( )cm

높이 ( )cm

넓이 ( )cm²

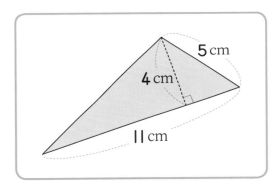

밑변의 길이 ( )cm

높이 ( )cm

넓이 ( )cm²

삼각형의 넓이

삼각형 2개를 붙이면 평행사변형을 만들 수 있습니다. 따라서 삼각형의 넓이는 평행사변형의 넓이를 2로 나누면 됩니다.

삼각형의 넓이 = 밑변의 길이 × 높이 ÷ 2

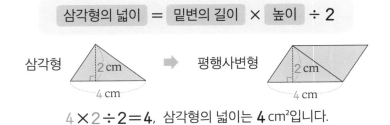

$4 \times 2 \div 2 = 4$, 삼각형의 넓이는 4 cm²입니다.

🔢 평행사변형의 넓이가 다음과 같습니다. 빈칸에 알맞은 수를 써넣으세요.

넓이: 24 cm²

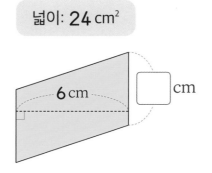

6 cm

☐ cm

넓이: 40 cm²

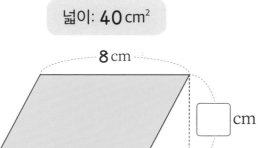

8 cm

☐ cm

넓이: 30 cm²

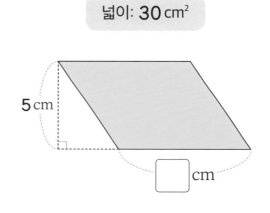

5 cm

☐ cm

넓이: 72 cm²

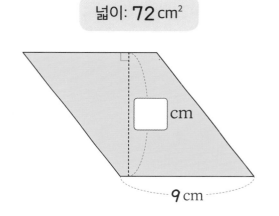

☐ cm

9 cm

넓이: 77 cm²

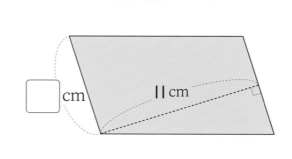

☐ cm

11 cm

넓이: 65 cm²

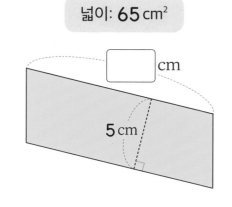

☐ cm

5 cm

삼각형의 넓이가 다음과 같습니다. 빈칸에 알맞은 수를 써넣으세요.

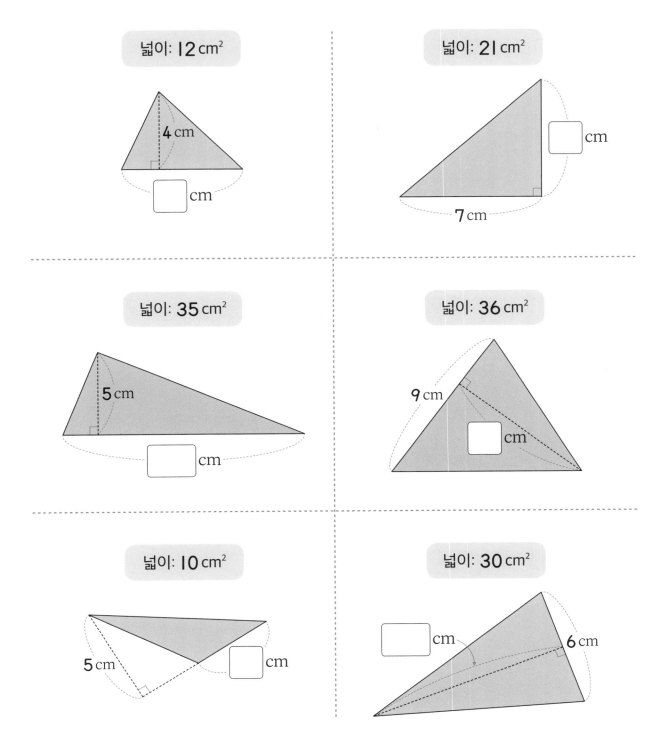

넓이: 12 cm²

4 cm

☐ cm

넓이: 21 cm²

☐ cm

7 cm

넓이: 35 cm²

5 cm

☐ cm

넓이: 36 cm²

9 cm

☐ cm

넓이: 10 cm²

5 cm

☐ cm

넓이: 30 cm²

☐ cm

6 cm

평행사변형의 넓이를 구하는 식으로 주어진 평행사변형의 넓이를 두 가지 방법으로 구해 보세요.

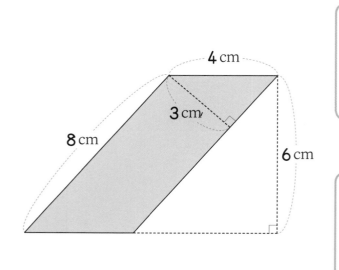

방법 1

식 _____

답 _____ cm²

방법 2

식 _____

답 _____ cm²

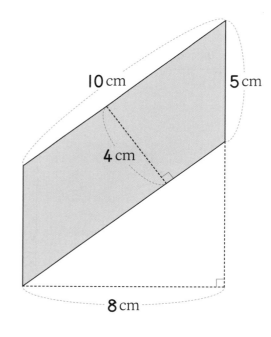

방법 1

식 _____

답 _____ cm²

방법 2

식 _____

답 _____ cm²

⑪ 삼각형의 넓이를 구하는 식으로 주어진 삼각형의 넓이를 두 가지 방법으로 구해 보세요.

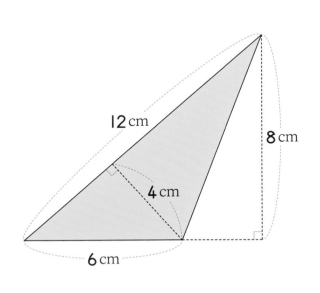
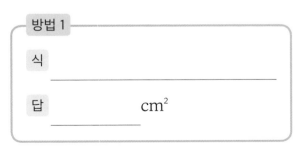

방법 1

식 _____

답 _____ cm²

방법 2

식 _____

답 _____ cm²

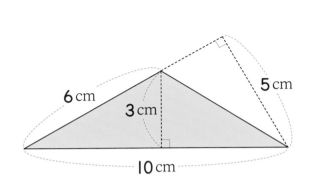

방법 1

식 _____

답 _____ cm²

방법 2

식 _____

답 _____ cm²

넓이가 같은 도형

🔲 넓이가 다른 평행사변형 하나를 찾아 기호를 써 보세요.

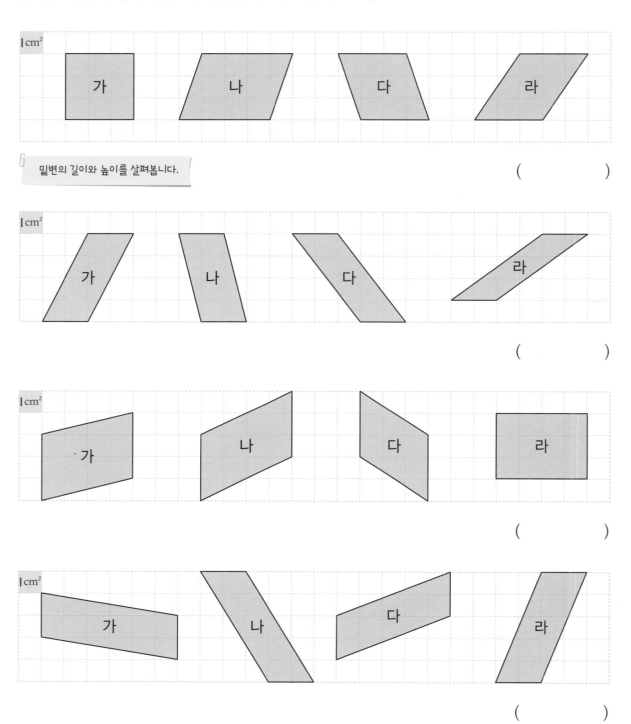

밑변의 길이와 높이를 살펴봅니다.

(   )

(   )

(   )

(   )

11 넓이가 다른 삼각형 하나를 찾아 기호를 써 보세요.

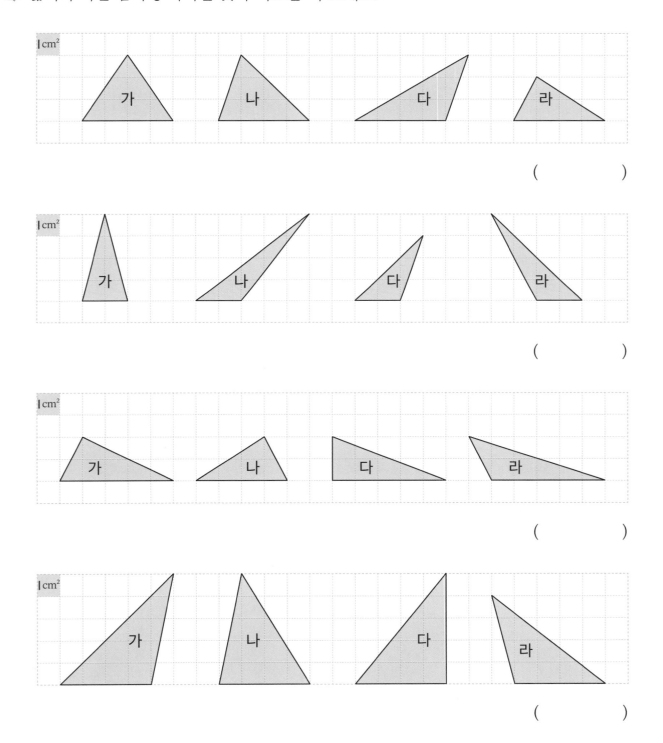

(   )

(   )

(   )

(   )

 주어진 넓이의 평행사변형과 삼각형을 서로 다른 모양으로 **3**개씩 그려 보세요.

넓이가 **12** cm²인 평행사변형

넓이: **8** cm²인 삼각형

마름모의 넓이

마름모의 넓이를 구해 보세요.

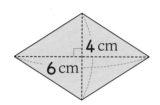

식 ☐ × 4 ÷ 2 = ☐

답 _____ cm²

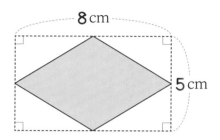

식 8 × ☐ ÷ ☐ = ☐

답 _____ cm²

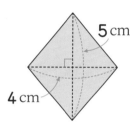

식 _____

답 _____ cm²

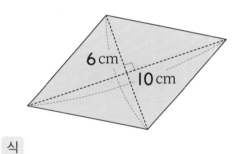

식 _____

답 _____ cm²

마름모의 넓이

마름모를 둘러싸는 직사각형을 그리면 마름모의 넓이는 직사각형 넓이의 절반임을 알 수 있습니다.

마름모의 넓이 = 한 대각선의 길이 × 다른 대각선의 길이 ÷ 2

마름모 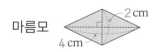 ➡ 직사각형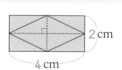

4 × 2 ÷ 2 = 4, 마름모의 넓이는 4 cm²입니다.

11 마름모의 넓이를 구해 보세요.

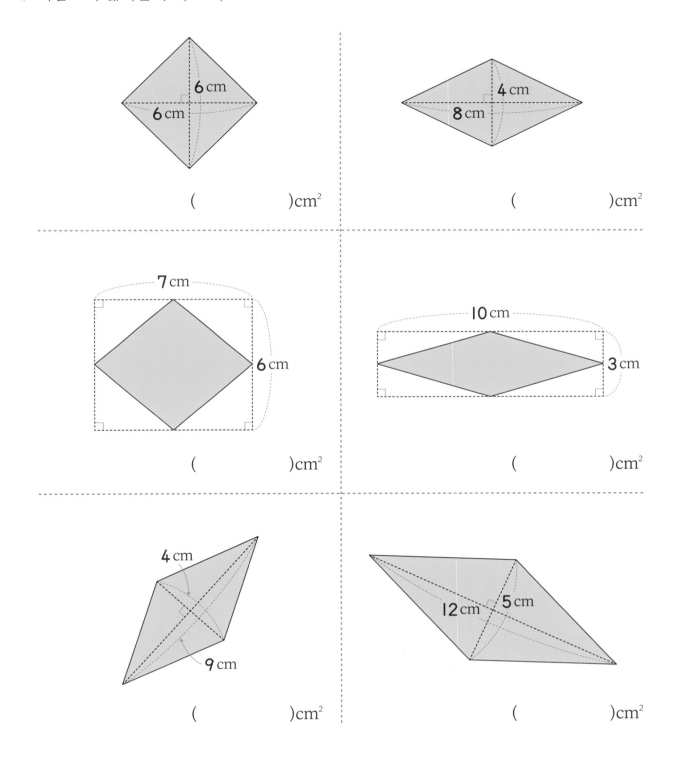

(   )cm²

(   )cm²

(   )cm²

(   )cm²

(   )cm²

(   )cm²

💬 사다리꼴의 넓이를 구해 보세요.

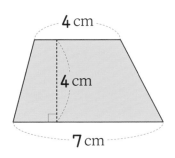

식 (4 + ☐) × ☐ ÷ 2 = ☐

답 _____ cm²

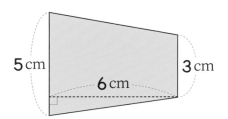

식 _____

답 _____ cm²

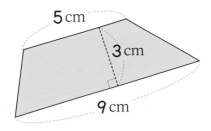

식 _____

답 _____ cm²

밑변과 높이

사다리꼴에서 평행한 두 변을 **밑변**이라 하고, 한 밑변을 윗변, 다른 밑변을 아랫변이라고 합니다.
이때 두 밑변 사이의 거리를 높이라고 합니다.

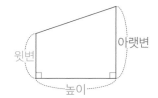

사다리꼴의 두 밑변 길이의 합과 높이를 쓰고, 넓이를 구해 보세요.

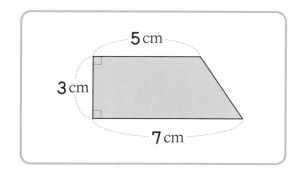

윗변과 아랫변 길이의 합 (   )cm

높이 (   )cm

넓이 (   )cm²

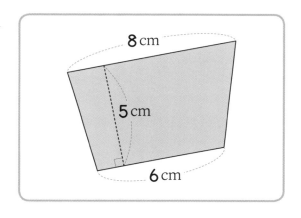

윗변과 아랫변 길이의 합 (   )cm

높이 (   )cm

넓이 (   )cm²

사다리꼴의 넓이

사다리꼴 2개를 붙이면 평행사변형을 만들 수 있습니다. 따라서 사다리꼴의 넓이는 평행사변형의 넓이를 2로 나누면 되고, 이때 평행사변형의 밑변은 사다리꼴의 **윗변과 아랫변의 합**이 됩니다.

사다리꼴의 넓이 = (윗변의 길이 + 아랫변의 길이) × 높이 ÷ 2

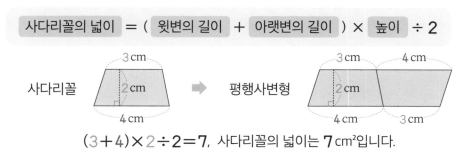

$(3+4) \times 2 \div 2 = 7$, 사다리꼴의 넓이는 7cm²입니다.

대각선과 높이 구하기

ⓟ 마름모의 넓이가 다음과 같습니다. 빈칸에 알맞은 수를 써넣으세요.

넓이: 12 cm²

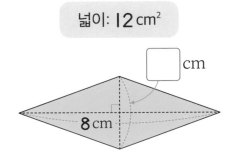

넓이: 8 cm²

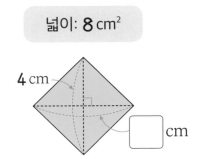

넓이: 15 cm²

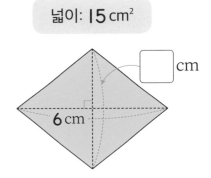

넓이: 14 cm²

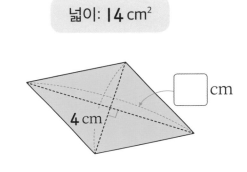

넓이: 27 cm²

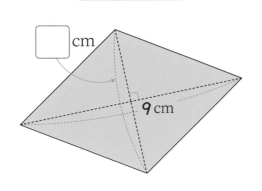

넓이: 28 cm²

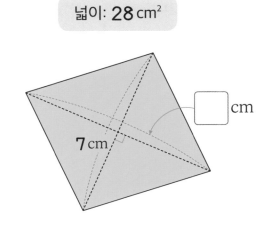

사다리꼴의 넓이가 다음과 같습니다. 빈칸에 알맞은 수를 써넣으세요.

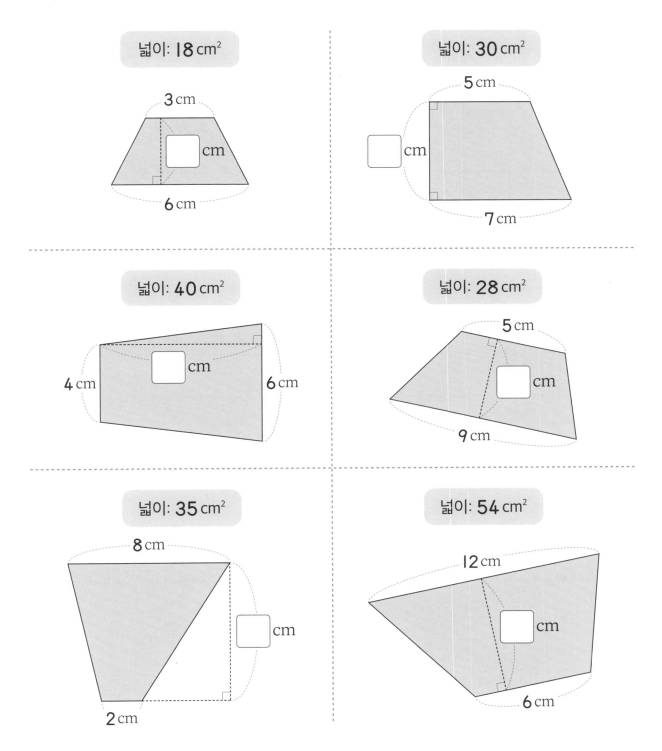

넓이: 18 cm²
3 cm
☐ cm
6 cm

넓이: 30 cm²
5 cm
☐ cm
7 cm

넓이: 40 cm²
☐ cm
4 cm
6 cm

넓이: 28 cm²
5 cm
☐ cm
9 cm

넓이: 35 cm²
8 cm
☐ cm
2 cm

넓이: 54 cm²
12 cm
☐ cm
6 cm

넓이가 같은 마름모

📖 마름모 2개의 넓이가 서로 같습니다. 빈칸에 알맞은 수를 써넣으세요.

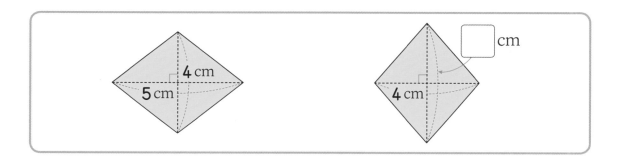

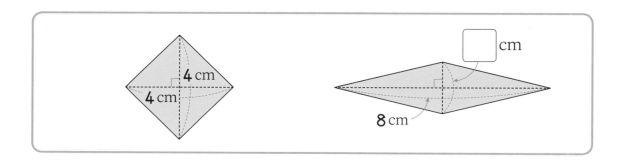

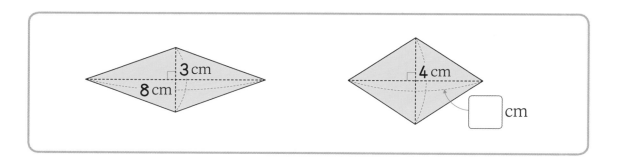

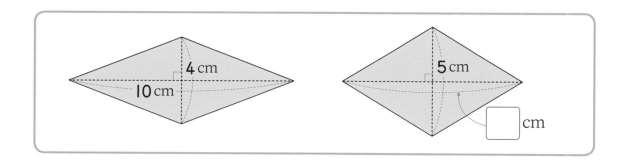

마름모와 직사각형, 마름모와 평행사변형의 넓이가 서로 같습니다. 빈칸에 알맞은 수를 써넣으세요.

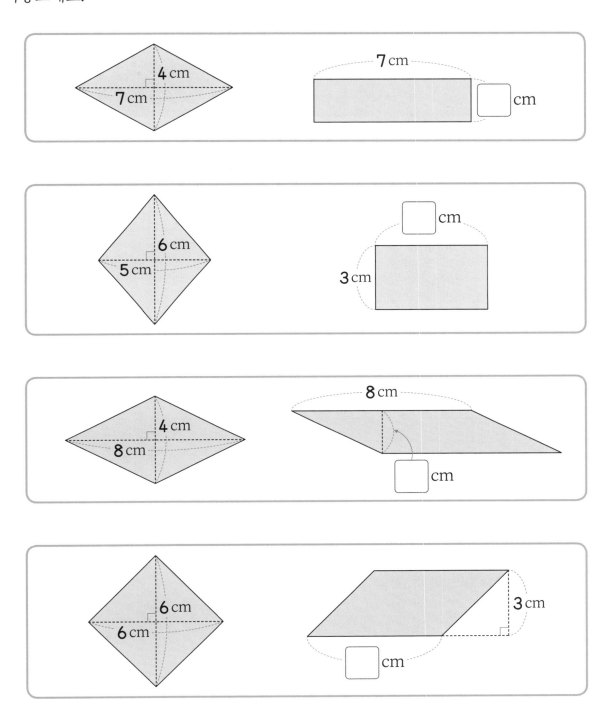

넓이가 같은 사다리꼴

⊕ 표를 완성하여 사다리꼴의 넓이를 구해 보세요.

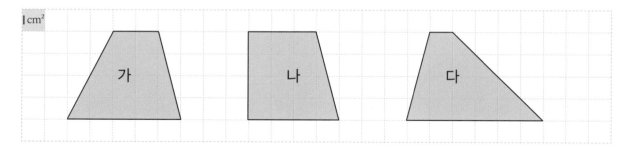

	가	나	다
윗변과 아랫변 길이의 합(cm)	7		
높이(cm)	4		
넓이(cm²)	14		

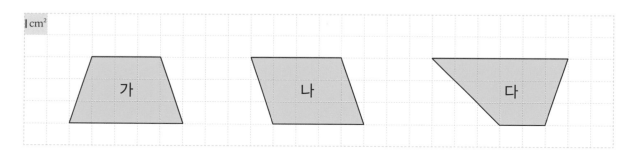

	가	나	다
윗변과 아랫변 길이의 합(cm)			
높이(cm)			
넓이(cm²)			

넓이가 다른 사다리꼴 하나를 찾아 기호를 써 보세요.

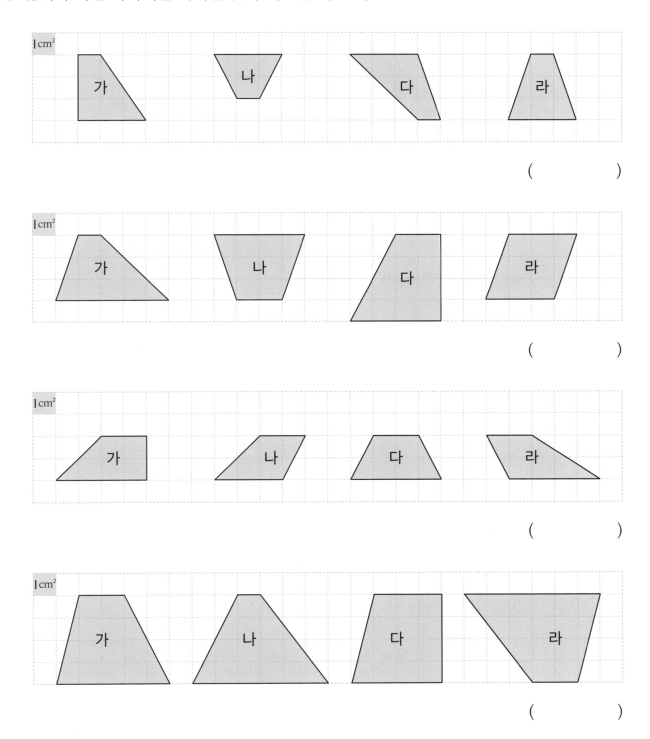

( )

( )

( )

( )

사다리꼴을 삼각형 2개로 나누었습니다. 빈칸에 알맞은 수를 써넣으세요.

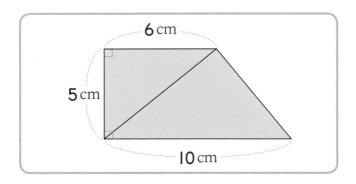

사다리꼴의 넓이를 구하는 식: (6+□)×□÷2=□

삼각형 2개의 넓이의 합: (6×□÷2)+(□×5÷2)=□

사다리꼴의 넓이: □cm²

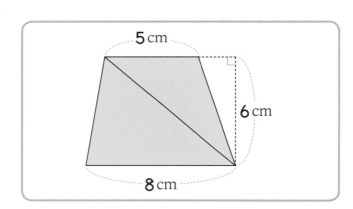

사다리꼴의 넓이를 구하는 식: (□+8)×6÷□=□

삼각형 2개의 넓이의 합: (8×□÷□)+(□×6÷□)=□

사다리꼴의 넓이: □cm²

도형 플러스 +
- 다각형의 둘레와 넓이 -

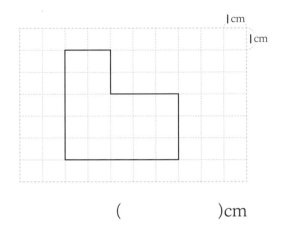 PLUS 1 **꺾인 도형의 둘레**

▶ 모눈 한 칸은 1 cm입니다. 직각으로 꺾인 도형의 둘레를 구해 보세요.

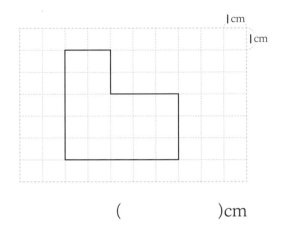

(   )cm

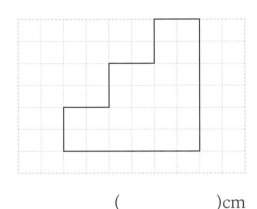

(   )cm

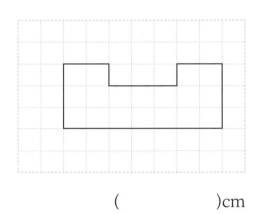

(   )cm

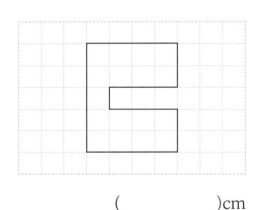

(   )cm

직각으로 꺾인 도형의 둘레

직각으로 꺾인 도형의 변을 평행하게 옮기면 직사각형을 만들 수 있습니다.
그중에서 움푹 파인 도형의 둘레는 직사각형을 만들고 남은 변의 길이를 더해 주어야 합니다.

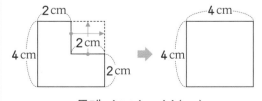

둘레: $4 \times 4 = 16$(cm)

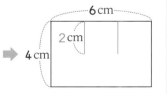

둘레: $(4+6) \times 2 + \underline{2 \times 2} = 24$(cm)

● 직각으로 꺾인 도형의 둘레를 구해 보세요.

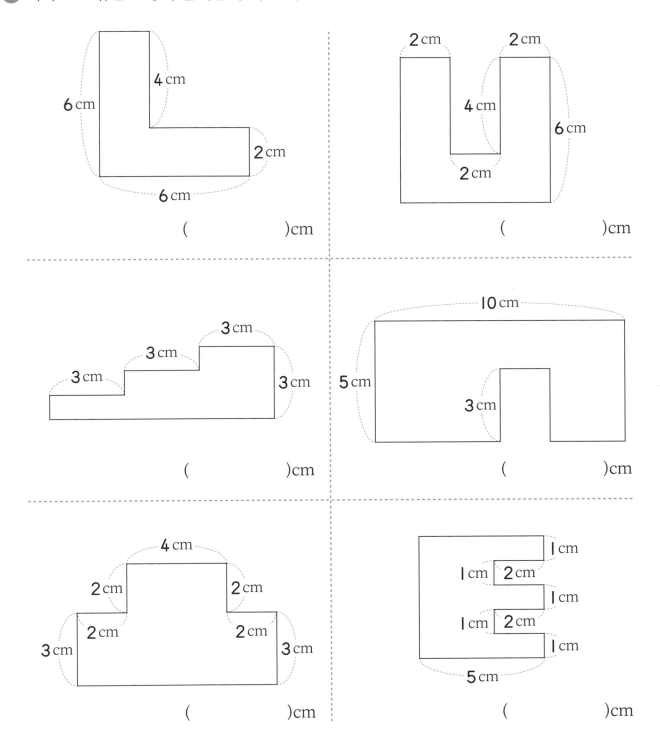

( )cm

( )cm

( )cm

( )cm

( )cm

( )cm

꺾인 도형의 넓이

▶ 직각으로 꺾인 색칠된 도형의 넓이를 구해 보세요.

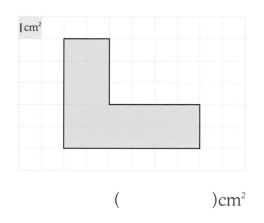

(   )cm²

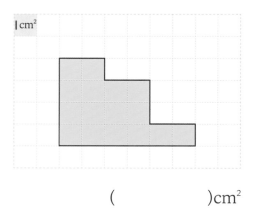

(   )cm²

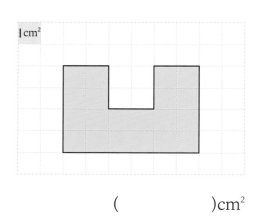

(   )cm²

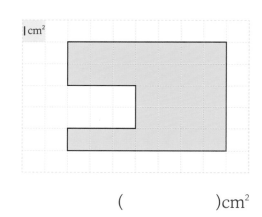

(   )cm²

직각으로 꺾인 도형의 넓이

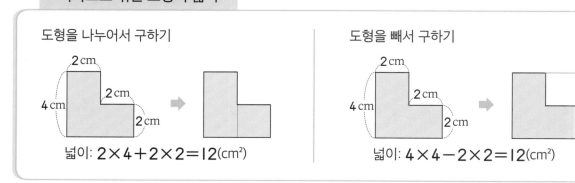

도형을 나누어서 구하기

넓이: $2 \times 4 + 2 \times 2 = 12 (cm^2)$

도형을 빼서 구하기

넓이: $4 \times 4 - 2 \times 2 = 12 (cm^2)$

🔵 직각으로 꺾인 색칠된 도형의 넓이를 구해 보세요.

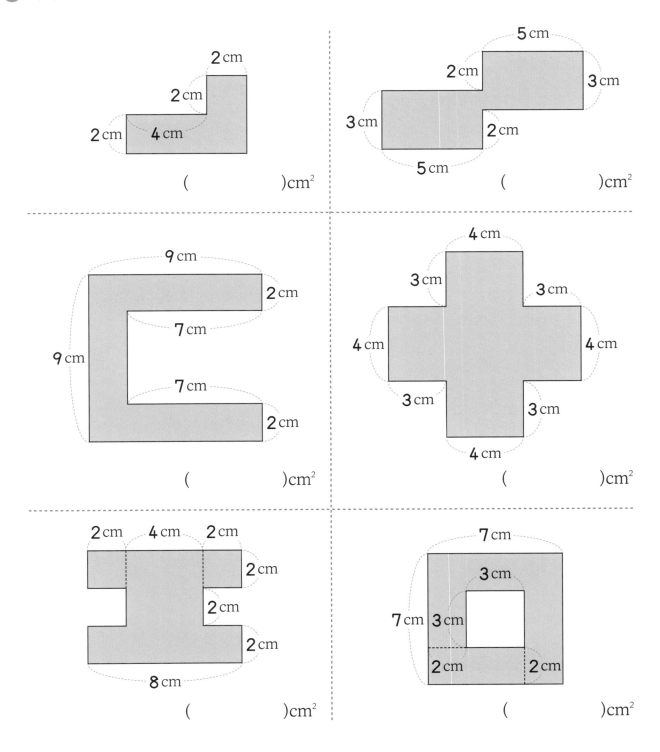

( )cm²

( )cm²

( )cm²

( )cm²

( )cm²

( )cm²

다각형의 넓이

▶ 색칠된 다각형의 넓이를 구해 보세요.

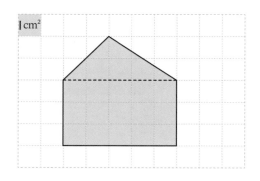

삼각형과 직사각형으로 나누기

삼각형의 넓이 (　　　　　)cm²

직사각형의 넓이 (　　　　　)cm²

➡ 색칠된 다각형의 넓이 (　　　　　)cm²

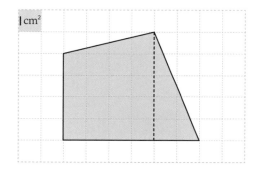

사다리꼴과 삼각형으로 나누기

사다리꼴의 넓이 (　　　　　)cm²

삼각형의 넓이 (　　　　　)cm²

➡ 색칠된 다각형의 넓이 (　　　　　)cm²

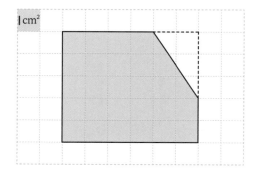

도형을 둘러싼 직사각형에서 삼각형 빼기

직사각형의 넓이 (　　　　　)cm²

삼각형의 넓이 (　　　　　)cm²

➡ 색칠된 다각형의 넓이 (　　　　　)cm²

▶ 색칠된 다각형의 넓이를 구해 보세요.

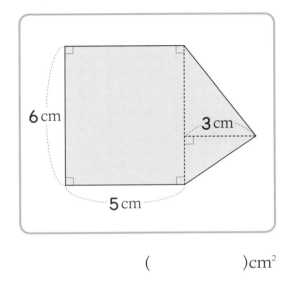

(   )cm²

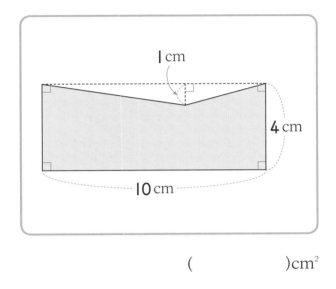

(   )cm²

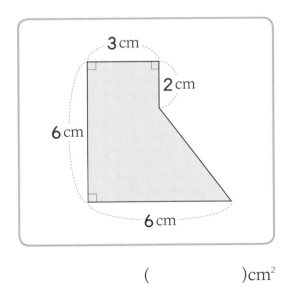

(   )cm²

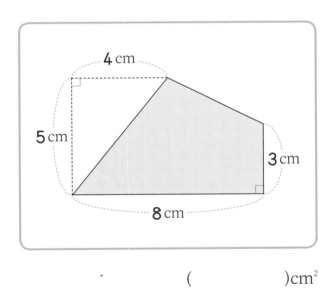

(   )cm²

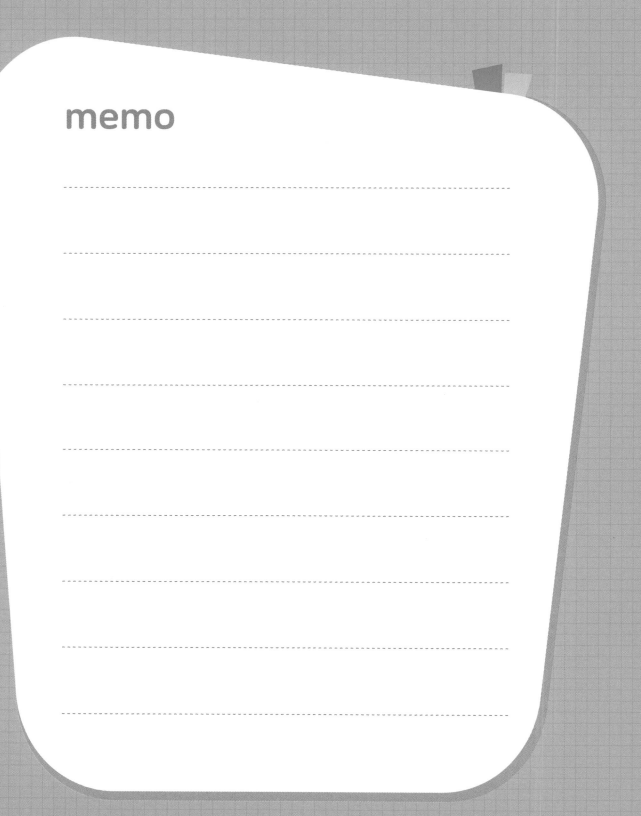

memo

형성평가

1 평행사변형의 둘레와 넓이를 각각 구해 보세요.

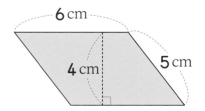

둘레 (   )cm

넓이 (   )cm^2

2 사다리꼴의 넓이를 구하는 식으로 알맞은 것에 ◯표 하세요.

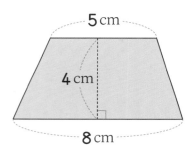

$(5+8)×4÷2$ (   )

$(5+8)×2÷4$ (   )

$8×4÷2$ (   )

3 정사각형의 둘레와 넓이를 각각 구해 보세요.

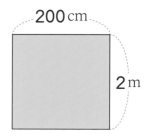

둘레 (   )m

넓이 (   )m^2

4 넓이가 같은 도형 **2**개를 찾아 각각 ◯표 하세요.

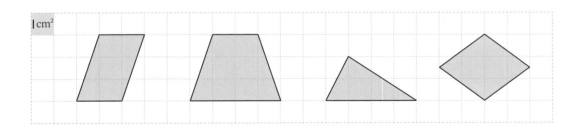

5 밑변의 길이가 **6** cm, 넓이가 **24** cm²인 삼각형의 높이는 몇 cm일까요?

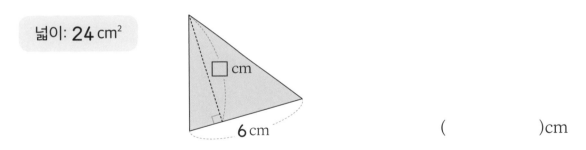

넓이: **24** cm²

(   )cm

6 정오각형과 정육각형의 둘레가 같습니다. 정육각형의 한 변의 길이는 몇 cm일까요?

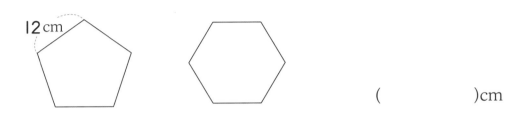

12 cm

(   )cm

1 넓이가 가장 넓은 도형부터 차례로 기호를 써 보세요.

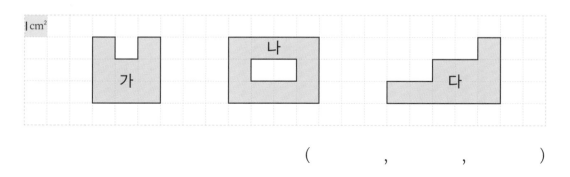

(,   ,   )

2 마름모의 둘레와 넓이를 각각 구해 보세요.

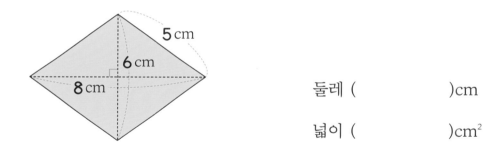

둘레 (   )cm

넓이 (   )cm^2

3 사다리꼴 모양의 화단이 있습니다. 화단의 넓이를 구해 보세요.

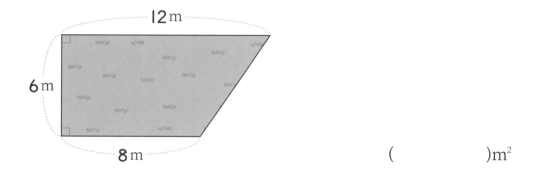

(   )m^2

4 삼각형의 넓이를 구하는 데 필요한 길이에 모두 ◯표 하고, 넓이를 구해 보세요.

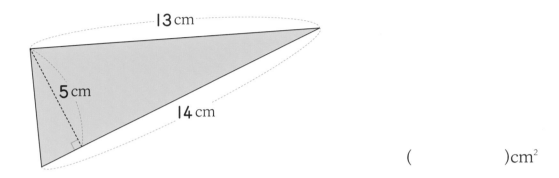

(   )cm²

5 직사각형의 둘레가 28cm입니다. 이 직사각형의 넓이는 몇 cm²일까요?

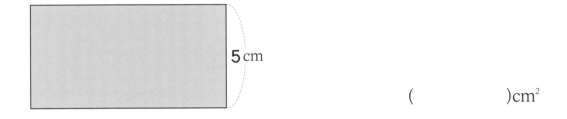

(   )cm²

6 한 변의 길이가 10cm인 정사각형의 각 변의 한가운데를 이어 마름모를 그렸습니다. 색칠된 마름모의 넓이는 몇 cm²일까요?

(   )cm²

memo

정 답

E1
다각형의 둘레와 넓이

1주차 다각형의 둘레

01일 정다각형의 둘레

월 일

정다각형의 둘레를 구해 보세요.

식 $8 \times 3 = \boxed{24}$

답 _24_ cm

식 $7 \times \boxed{4} = \boxed{28}$

답 _28_ cm

식 $4 \times 6 = 24$
또는 $4+4+4+4+4+4=24$

답 _24_ cm

식 $3 \times 7 = 21$
또는 $3+3+3+3+3+3+3=21$

답 _21_ cm

곱하는 두 수의 순서는 바뀌어도 정답입니다.

정다각형의 둘레

정다각형은 변의 길이가 모두 같으므로 정다각형의 둘레는 정다각형의 한 변의 길이를 변의 수만큼 곱해서 구합니다.

정다각형의 둘레 = 한 변의 길이 × 변의 수

3cm $3+3+3+3+3=15$ ➡ $3 \times 5 = 15$
정오각형의 둘레는 15cm입니다.

정다각형의 둘레가 다음과 같습니다. 빈칸에 알맞은 수를 써넣으세요.

둘레: 27 cm
$\boxed{9}$ cm
정삼각형, $27 \div 3 = 9$(cm)

둘레: 32 cm
$\boxed{8}$ cm
정사각형, $32 \div 4 = 8$(cm)

둘레: 35 cm
$\boxed{7}$ cm
정오각형, $35 \div 5 = 7$(cm)

둘레: 24 cm
$\boxed{3}$ cm
정팔각형, $24 \div 8 = 3$(cm)

둘레: 30 cm
$\boxed{5}$ cm
정육각형, $30 \div 6 = 5$(cm)

둘레: 28 cm
$\boxed{4}$ cm
정칠각형, $28 \div 7 = 4$(cm)

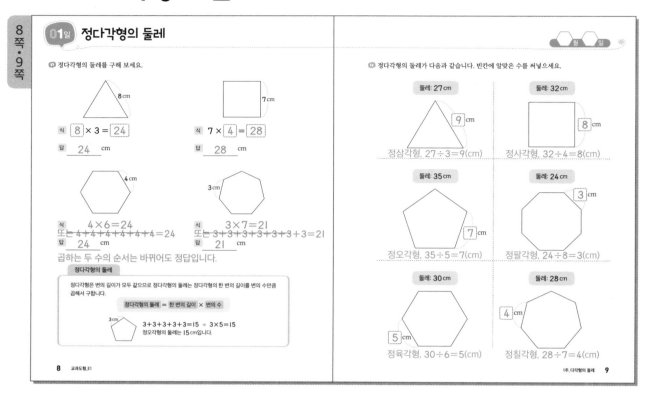

02일 직사각형의 둘레

월 일

직사각형의 둘레를 구해 보세요.

식 $(5 + \boxed{3}) \times 2 = \boxed{16}$

답 _16_ cm

식 $(\boxed{7} + 2) \times 2 = \boxed{18}$

답 _18_ cm

식 $(3+4) \times 2 = 14$
또는 $3+4+3+4=14$
$3 \times 2 + 4 \times 2 = 14$

답 _14_ cm

식 $(11+3) \times 2 = 28$
또는 $11+3+11+3=28$
$11 \times 2 + 3 \times 2 = 28$

답 _28_ cm

직사각형의 둘레 두 수 또는 네 수를 더하는 순서는 바뀌어도 정답입니다.

직사각형은 마주 보는 두 변의 길이가 같으므로 직사각형의 둘레는 가로와 세로를 더한 다음, 2배 합니다.

직사각형의 둘레 = (가로 + 세로) × 2

4cm $4+2+4+2=12$ ➡ $4 \times 2 + 2 \times 2 = 12$ ➡ $(4+2) \times 2 = 12$
2cm 직사각형의 둘레는 12cm입니다.

물음에 답하세요.

가로와 세로의 합이 20 cm인 직사각형의 둘레는 몇 cm일까요?

(_40_)cm

직사각형의 둘레는 가로와 세로의 합의 2배입니다.
(직사각형의 가로와 세로의 합은 둘레의 절반입니다.)

직사각형의 둘레가 24 cm입니다. 직사각형의 세로는 몇 cm일까요?

가로와 세로의 합을 구합니다.

9 cm

(_3_)cm

가로와 세로의 합: $24 \div 2 = 12$(cm)
가로가 9cm이므로 세로는 $12 - 9 = 3$(cm)입니다.

직사각형의 둘레가 36 cm입니다. 직사각형의 가로는 몇 cm일까요?

6 cm

(_12_)cm

가로와 세로의 합: $36 \div 2 = 18$(cm)
세로가 6cm이므로 가로는 $18 - 6 = 12$(cm)입니다.

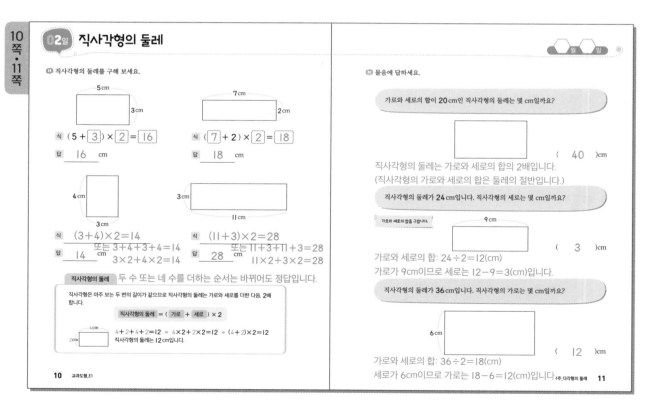

03일 직사각형 그리기

① 모눈 한 칸은 1cm입니다. 둘레가 다음과 같고, 주어진 선분을 한 변으로 하는 직사각형을 완성해 보세요.

둘레: 10cm

또는

가로와 세로의 합: 10÷2=5(cm)
세로: 2cm → 가로: 3cm

둘레: 16cm

가로와 세로의 합: 16÷2=8(cm)
가로: 4cm → 세로: 4cm

둘레: 18cm

가로와 세로의 합: 18÷2=9(cm)
가로: 6cm → 세로: 3cm

둘레: 22cm

가로와 세로의 합: 22÷2=11(cm)
세로: 2cm → 가로: 9cm

둘레: 20cm

가로와 세로의 합: 20÷2=10(cm)
세로: 6cm → 가로: 4cm

둘레: 24cm

가로와 세로의 합: 24÷2=12(cm)
가로: 8cm → 세로: 4cm

② 모눈 한 칸은 1cm입니다. 설명에 맞는 직사각형을 그려 보세요.

1cm
1cm

- 둘레가 14cm입니다.
- 가로가 세로보다 3cm 더 깁니다.

가로와 세로의 합: 14÷2=7(cm)
가로: 5cm, 세로: 2cm

- 둘레가 14cm입니다.
- 가로가 세로보다 1cm 더 짧습니다.

가로와 세로의 합: 14÷2=7(cm)
가로: 3cm, 세로: 4cm

- 둘레가 20cm입니다.
- 가로와 세로의 길이가 같습니다.

가로와 세로의 합: 20÷2=10(cm)
가로: 5cm, 세로: 5cm

- 둘레가 20cm입니다.
- 가로가 세로보다 4cm 더 깁니다.

가로와 세로의 합: 20÷2=10(cm)
가로: 7cm, 세로: 3cm
모눈에서 도형을 그리는 위치는 달라도 정답입니다.

04일 평행사변형의 둘레

① 평행사변형의 둘레를 구해 보세요.

식 (4 + 3) × 2 = 14

답 14 cm

식 (7 + 4) × 2 = 22

답 22 cm

식 (2+6)×2=16
또는 2+6+2+6=16
2×2+6×2=16

답 16 cm

식 (8+5)×2=26
또는 8+5+8+5=26
8×2+5×2=26

답 26 cm

> **평행사변형의 둘레** 두 수 또는 네 수를 더하는 순서는 바뀌어도 정답입니다.

> 평행사변형은 마주 보는 두 변의 길이가 같으므로 평행사변형의 둘레는 한 변과 다른 변의 길이를 더한 다음, 2배 합니다.
>
> **평행사변형의 둘레 = (한 변의 길이 + 다른 한 변의 길이) × 2**
>
> 5cm
> 2cm
> 5+2+5+2=14 ⇒ 5×2+2×2=14 ⇒ (5+2)×2=14
> 평행사변형의 둘레는 14cm입니다.

② 평행사변형의 둘레가 다음과 같습니다. 빈칸에 알맞은 수를 써넣으세요.

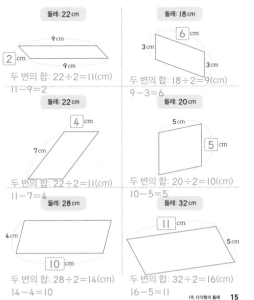

둘레: 22cm

9cm
2 cm
9cm

두 변의 합: 22÷2=11(cm)
11-9=2

둘레: 18cm

6 cm
3cm
3cm

두 변의 합: 18÷2=9(cm)
9-3=6

둘레: 22cm

4 cm
7cm

두 변의 합: 22÷2=11(cm)
11-7=4

둘레: 20cm

5cm
5 cm

두 변의 합: 20÷2=10(cm)
10-5=5

둘레: 28cm

4cm
10 cm

두 변의 합: 28÷2=14(cm)
14-4=10

둘레: 32cm

11 cm
5cm

두 변의 합: 32÷2=16(cm)
16-5=11

정답

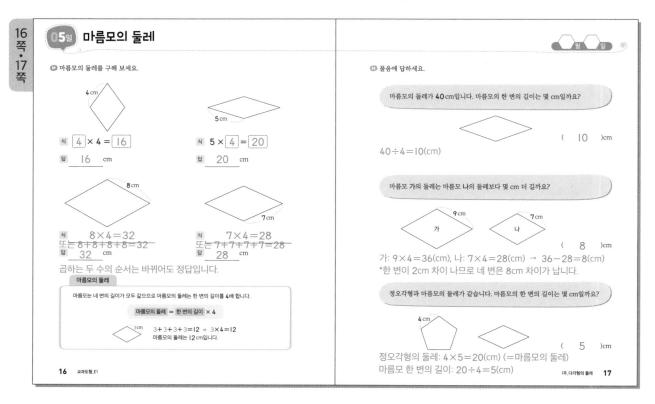

05일 마름모의 둘레

① 마름모의 둘레를 구해 보세요.

4 cm

식 [4] × 4 = [16]

답 16 cm

5 cm

식 5 × [4] = [20]

답 20 cm

8 cm

식 8×4=32
또는 8+8+8+8=32

답 32 cm

7 cm

식 7×4=28
또는 7+7+7+7=28

답 28 cm

곱하는 두 수의 순서는 바뀌어도 정답입니다.

마름모의 둘레

마름모는 네 변의 길이가 모두 같으므로 마름모의 둘레는 한 변의 길이를 4배 합니다.

마름모의 둘레 = 한 변의 길이 × 4

3cm
3+3+3+3=12 → 3×4=12
마름모의 둘레는 12cm입니다.

16 교과도형_E1

① 물음에 답하세요.

마름모의 둘레가 40cm입니다. 마름모의 한 변의 길이는 몇 cm일까요?

(10)cm

40÷4=10(cm)

마름모 가의 둘레는 마름모 나의 둘레보다 몇 cm 더 길까요?

9 cm 가   7 cm 나

(8)cm

가: 9×4=36(cm), 나: 7×4=28(cm) → 36−28=8(cm)
*한 변이 2cm 차이 나므로 네 변은 8cm 차이가 납니다.

정오각형과 마름모의 둘레가 같습니다. 마름모의 한 변의 길이는 몇 cm일까요?

4 cm

(5)cm

정오각형의 둘레: 4×5=20(cm) (=마름모의 둘레)
마름모 한 변의 길이: 20÷4=5(cm)

1주_다각형의 둘레 **17**

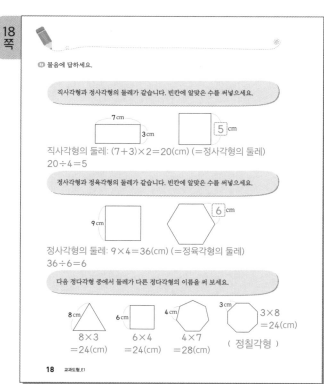

① 물음에 답하세요.

직사각형과 정사각형의 둘레가 같습니다. 빈칸에 알맞은 수를 써넣으세요.

7 cm
3 cm

[5] cm

직사각형의 둘레: (7+3)×2=20(cm) (=정사각형의 둘레)
20÷4=5

정사각형과 정육각형의 둘레가 같습니다. 빈칸에 알맞은 수를 써넣으세요.

9 cm

[6] cm

정사각형의 둘레: 9×4=36(cm) (=정육각형의 둘레)
36÷6=6

다음 정다각형 중에서 둘레가 다른 정다각형의 이름을 써 보세요.

8 cm
8×3
=24(cm)

6 cm
6×4
=24(cm)

4 cm
4×7
=28(cm)

3 cm
3×8
=24(cm)

(정칠각형)

18 교과도형_E1

4   교과도형_E1

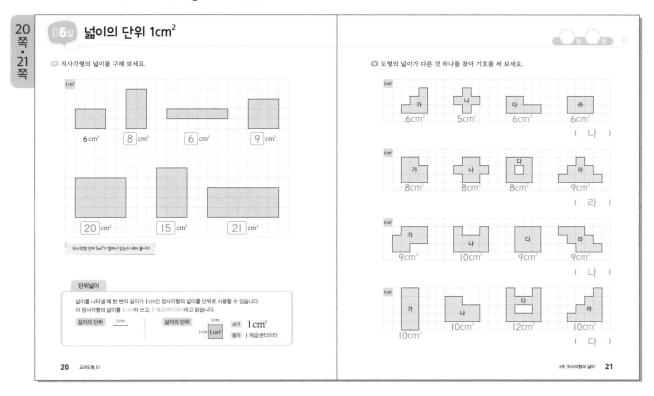

06일 **넓이의 단위 1cm²**

① 직사각형의 넓이를 구해 보세요.

1cm²

6 cm²   8 cm²   6 cm²   9 cm²

20 cm²   15 cm²   21 cm²

직사각형 안에 1cm²가 몇 개나 있는지 세어 봅니다.

단위넓이

넓이를 나타낼 때 한 변의 길이가 1cm인 정사각형의 넓이를 단위로 사용할 수 있습니다.
이 정사각형의 넓이를 1cm²라 쓰고, 1제곱센티미터라고 읽습니다.

길이의 단위 1cm   넓이의 단위 1cm   쓰기 1 cm²
1cm 1cm²   읽기 1 제곱센티미터

② 도형의 넓이가 다른 것 하나를 찾아 기호를 써 보세요.

1cm²

가 6cm²   나 5cm²   다 6cm²   라 6cm²

(나)

가 8cm²   나 8cm²   다 8cm²   라 9cm²

(라)

가 9cm²   나 10cm²   다 9cm²   라 9cm²

(나)

가 10cm²   나 10cm²   다 12cm²   라 10cm²

(다)

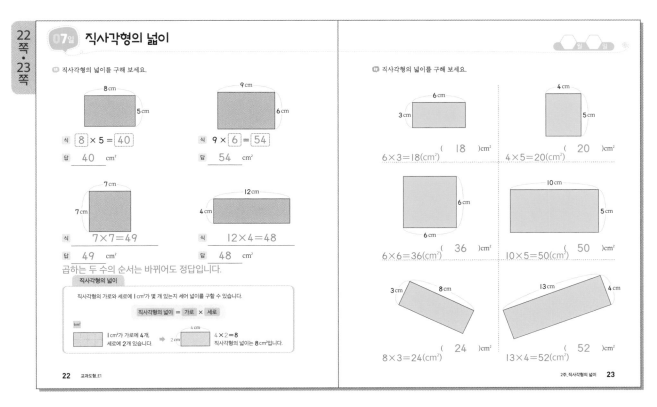

07일 **직사각형의 넓이**

① 직사각형의 넓이를 구해 보세요.

8cm 5cm
식 8 × 5 = 40
답 40 cm²

9cm 6cm
식 9 × 6 = 54
답 54 cm²

7cm 7cm
식 7×7=49
답 49 cm²

12cm 4cm
식 12×4=48
답 48 cm²

곱하는 두 수의 순서는 바뀌어도 정답입니다.

직사각형의 넓이

직사각형의 가로와 세로에 1cm²가 몇 개 있는지 세어 넓이를 구할 수 있습니다.

직사각형의 넓이 = 가로 × 세로

1cm²   1cm²가 가로에 4개,   4 cm   4×2=8
세로에 2개 있습니다.   2 cm   직사각형의 넓이는 8cm²입니다.

② 직사각형의 넓이를 구해 보세요.

6cm 3cm
(18)cm²
6×3=18(cm²)

4cm 5cm
(20)cm²
4×5=20(cm²)

6cm 6cm
(36)cm²
6×6=36(cm²)

10cm 5cm
(50)cm²
10×5=50(cm²)

3cm 8cm
(24)cm²
8×3=24(cm²)

13cm 4cm
(52)cm²
13×4=52(cm²)

정답

08일 한 변의 길이

① 직사각형의 넓이가 다음과 같습니다. 빈칸에 알맞은 수를 써넣으세요.

넓이: 20 cm²
4 cm
5 cm
20÷4=5(cm²)

넓이: 27 cm²
9 cm
3 cm
27÷3=9(cm²)

넓이: 64 cm²
8 cm
8 cm
64÷8=8(cm²)

넓이: 40 cm²
4 cm
10 cm
40÷4=10(cm²)

넓이: 44 cm²
11 cm
4 cm
44÷11=4(cm²)

넓이: 60 cm²
12 cm
5 cm
60÷5=12(cm²)

② 물음에 답하세요.

넓이가 36 cm²인 정사각형의 한 변의 길이는 몇 cm일까요?

정사각형의 한 변의 길이를 □cm라고 하면 (6)cm
□×□=36(cm²), □=6

넓이가 81 cm²인 정사각형의 둘레는 몇 cm일까요?

정사각형의 한 변의 길이를 □cm라고 하면 (36)cm
□×□=81(cm²), □=9
정사각형의 둘레: 9×4=36(cm)

둘레가 40 cm인 정사각형이 있습니다. 이 정사각형의 넓이는 몇 cm²일까요?

정사각형의 한 변의 길이를 □cm라고 하면 (100)cm²
□×4=40, □=10
정사각형의 넓이: 10×10=100(cm²)

정사각형의 넓이

정사각형은 가로와 세로의 길이가 같으므로 간단하게 넓이를 구할 수 있습니다.

정사각형의 넓이 = 한 변의 길이 × 한 변의 길이

09일 둘레와 넓이의 관계

① 표를 완성하고, 빈칸에 알맞은 수를 써넣으세요.

둘레가 12 cm인 직사각형

가로(cm)	1	2	3	4	5
세로(cm)	5	4	3	2	1
넓이(cm²)	5	8	9	8	5

가로와 세로의 합은 둘레의 절반입니다.

둘레가 12 cm일 때 넓이가 가장 큰 직사각형의 넓이는 9 cm²입니다.

둘레가 16 cm인 직사각형

가로(cm)	1	2	3	4	5	6	7
세로(cm)	7	6	5	4	3	2	1
넓이(cm²)	7	12	15	16	15	12	7

둘레가 16 cm일 때 넓이가 가장 큰 직사각형의 넓이는 16 cm²입니다.

둘레가 같은 직사각형은 가로와 세로의 차가 작을수록 넓이가 넓어집니다.

② 표를 완성하고, 빈칸에 알맞은 수를 써넣으세요

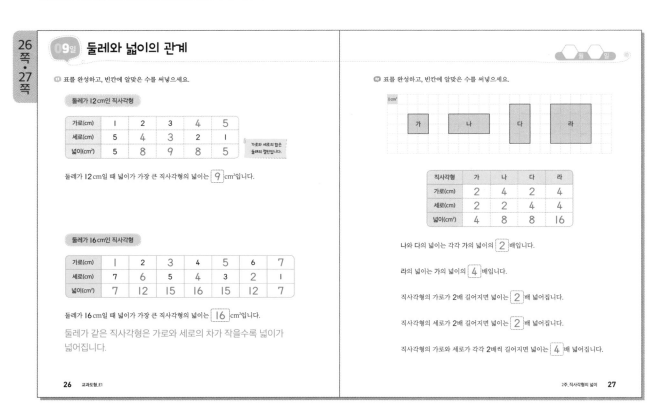

직사각형	가	나	다	라
가로(cm)	2	4	2	4
세로(cm)	2	2	4	4
넓이(cm²)	4	8	8	16

나와 다의 넓이는 각각 가의 넓이의 2 배입니다.

라의 넓이는 가의 넓이의 4 배입니다.

직사각형의 가로가 2배 길어지면 넓이는 2 배 넓어집니다.

직사각형의 세로가 2배 길어지면 넓이는 2 배 넓어집니다.

직사각형의 가로와 세로가 각각 2배씩 길어지면 넓이는 4 배 넓어집니다.

10일 1m², 1km²

빈칸에 알맞은 수 또는 단위를 써넣으세요.

1m² = [10000] cm²   30000 cm² = [3] m²

25m² = [250000] cm²   500000 cm² = [50] m²

7km² = [7000000] m²   2000000 m² = [2] km²

40km² = [40000000] m²   80000000 m² = [80] km²

80000 cm² = 8 [m²]   1000000 m² = 1 [km²]
수가 작아지므로 단위는 커집니다.

60000000 m² = 60 [km²]   300 m² = 3000000 [cm²]
                         수가 커지므로 단위는 작아집니다.

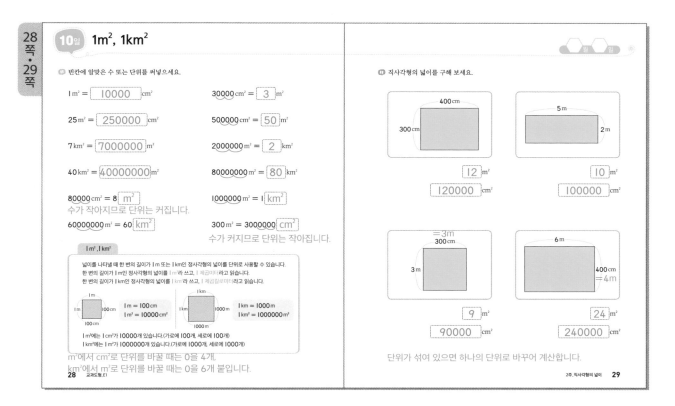

1m², 1km²

넓이를 나타낼 때 한 변의 길이가 1m 또는 1km인 정사각형의 넓이를 단위로 사용할 수 있습니다.
한 변의 길이가 1m인 정사각형의 넓이를 1m²라 쓰고, 1제곱미터라고 읽습니다.
한 변의 길이가 1km인 정사각형의 넓이를 1km²라 쓰고, 1제곱킬로미터라고 읽습니다.

1m = 100cm
1m² = 10000 cm²

1km = 1000m
1km² = 1000000 m²

1m²에는 1cm²가 10000개 있습니다.(가로에 100개, 세로에 100개)
1km²에는 1m²가 1000000개 있습니다.(가로에 1000개, 세로에 1000개)

m²에서 cm²로 단위를 바꿀 때는 0을 4개,
km²에서 m²로 단위를 바꿀 때는 0을 6개 붙입니다.

직사각형의 넓이를 구해 보세요.

400 cm / 300 cm
[12] m²
[120000] cm²

5 m / 2 m
[10] m²
[100000] cm²

=3m / 300 cm / 3 m
[9] m²
[90000] cm²

6 m / 400 cm =4m
[24] m²
[240000] cm²

단위가 섞여 있으면 하나의 단위로 바꾸어 계산합니다.

직사각형의 넓이를 구해 보세요.

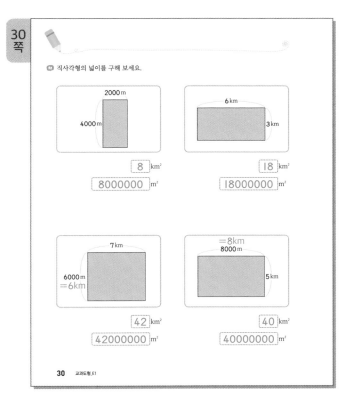

2000 m / 4000 m
[8] km²
[8000000] m²

6 km / 3 km
[18] km²
[18000000] m²

7 km / 6000 m =6km
[42] km²
[42000000] m²

=8km / 8000 m / 5 km
[40] km²
[40000000] m²

정답

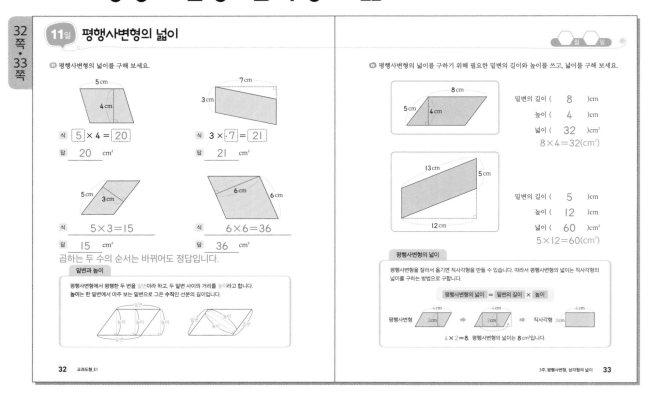

32쪽·33쪽

11일 평행사변형의 넓이

❶ 평행사변형의 넓이를 구해 보세요.

5cm
4cm

식 $5 \times 4 = 20$
답 20 cm²

7cm
3cm

식 $3 \times 7 = 21$
답 21 cm²

5cm
3cm

식 $5 \times 3 = 15$
답 15 cm²

6cm
6cm

식 $6 \times 6 = 36$
답 36 cm²

곱하는 두 수의 순서는 바뀌어도 정답입니다.

밑변과 높이

평행사변형에서 평행한 두 변을 밑변이라 하고, 두 밑변 사이의 거리를 높이라고 합니다.
높이는 한 밑변에서 마주 보는 밑변으로 그은 수직인 선분의 길이입니다.

❷ 평행사변형의 넓이를 구하기 위해 필요한 밑변의 길이와 높이를 쓰고, 넓이를 구해 보세요.

8cm
5cm 4cm

밑변의 길이 (8)cm
높이 (4)cm
넓이 (32)cm²
$8 \times 4 = 32(cm^2)$

13cm 5cm
12cm

밑변의 길이 (5)
높이 (12)cm
넓이 (60)cm²
$5 \times 12 = 60(cm^2)$

평행사변형의 넓이

평행사변형을 잘라서 옮기면 직사각형을 만들 수 있습니다. 따라서 평행사변형의 넓이는 직사각형의 넓이를 구하는 방법으로 구합니다.

평행사변형의 넓이 = 밑변의 길이 × 높이

평행사변형 ➡ ➡ 직사각형
$4 \times 2 = 8$. 평행사변형의 넓이는 8cm²입니다.

32 교과도형_E1

3주. 평행사변형, 삼각형의 넓이 33

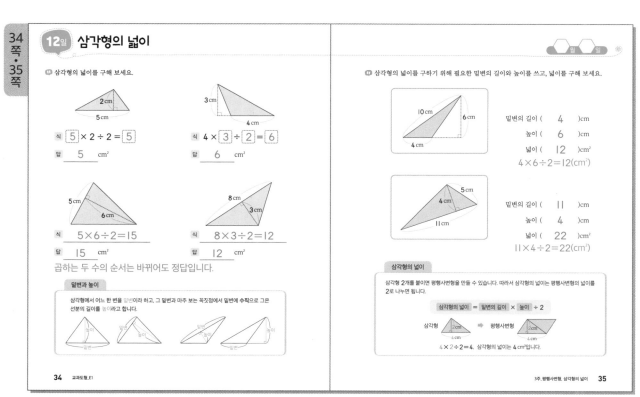

34쪽·35쪽

12일 삼각형의 넓이

❶ 삼각형의 넓이를 구해 보세요.

2cm
5cm

식 $5 \times 2 \div 2 = 5$
답 5 cm²

3cm
4cm

식 $4 \times 3 \div 2 = 6$
답 6 cm²

5cm
6cm

식 $5 \times 6 \div 2 = 15$
답 15 cm²

8cm
3cm

식 $8 \times 3 \div 2 = 12$
답 12 cm²

곱하는 두 수의 순서는 바뀌어도 정답입니다.

밑변과 높이

삼각형에서 어느 한 변을 밑변이라 하고, 그 밑변과 마주 보는 꼭짓점에서 밑변에 수직으로 그은 선분의 길이를 높이라고 합니다.

❷ 삼각형의 넓이를 구하기 위해 필요한 밑변의 길이와 높이를 쓰고, 넓이를 구해 보세요.

10cm 6cm
4cm

밑변의 길이 (4)cm
높이 (6)cm
넓이 (12)cm²
$4 \times 6 \div 2 = 12(cm^2)$

5cm
4cm
11cm

밑변의 길이 (11)cm
높이 (4)cm
넓이 (22)cm²
$11 \times 4 \div 2 = 22(cm^2)$

삼각형의 넓이

삼각형 2개를 붙이면 평행사변형을 만들 수 있습니다. 따라서 삼각형의 넓이는 평행사변형의 넓이를 2로 나누면 됩니다.

삼각형의 넓이 = 밑변의 길이 × 높이 ÷ 2

삼각형 ➡ 평행사변형
$4 \times 2 \div 2 = 4$. 삼각형의 넓이는 4cm²입니다.

34 교과도형_E1

3주. 평행사변형, 삼각형의 넓이 35

13일 밑변과 높이 구하기

🔟 평행사변형의 넓이가 다음과 같습니다. 빈칸에 알맞은 수를 써넣으세요.

🔟 삼각형의 넓이가 다음과 같습니다. 빈칸에 알맞은 수를 써넣으세요.

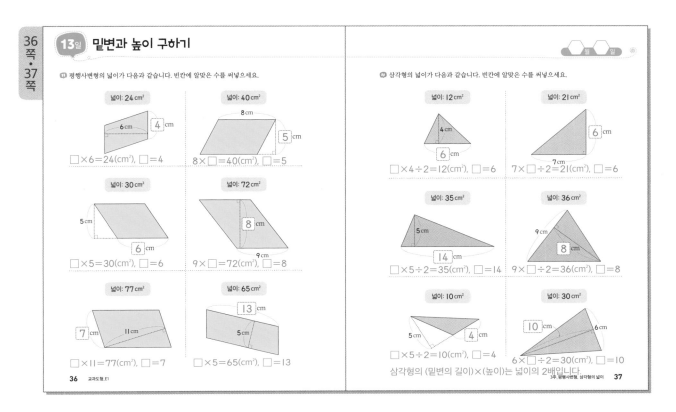

넓이: 24 cm²
□×6=24(cm²), □=4

넓이: 40 cm²
8×□=40(cm²), □=5

넓이: 30 cm²
□×5=30(cm²), □=6

넓이: 72 cm²
9×□=72(cm²), □=8

넓이: 77 cm²
□×11=77(cm²), □=7

넓이: 65 cm²
□×5=65(cm²), □=13

넓이: 12 cm²
□×4÷2=12(cm²), □=6

넓이: 21 cm²
7×□÷2=21(cm²), □=6

넓이: 35 cm²
□×5÷2=35(cm²), □=14

넓이: 36 cm²
9×□÷2=36(cm²), □=8

넓이: 10 cm²
□×5÷2=10(cm²), □=4

넓이: 30 cm²
6×□÷2=30(cm²), □=10

삼각형의 (밑변의 길이)×(높이)는 넓이의 2배입니다.

14일 두 가지 방법

🔟 평행사변형의 넓이를 구하는 식으로 주어진 평행사변형의 넓이를 두 가지 방법으로 구해 보세요.

🔟 삼각형의 넓이를 구하는 식으로 주어진 삼각형의 넓이를 두 가지 방법으로 구해 보세요.

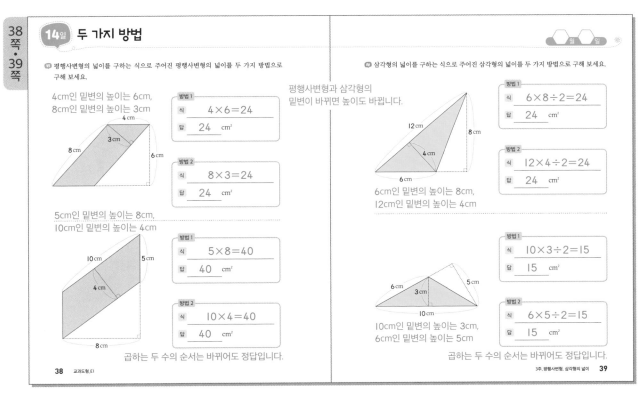

4cm인 밑변의 높이는 6cm,
8cm인 밑변의 높이는 3cm

방법 1
식   4×6=24
답   24 cm²

방법 2
식   8×3=24
답   24 cm²

5cm인 밑변의 높이는 8cm,
10cm인 밑변의 높이는 4cm

방법 1
식   5×8=40
답   40 cm²

방법 2
식   10×4=40
답   40 cm²

곱하는 두 수의 순서는 바뀌어도 정답입니다.

평행사변형과 삼각형의
밑변이 바뀌면 높이도 바뀝니다.

방법 1
식   6×8÷2=24
답   24 cm²

방법 2
식   12×4÷2=24
답   24 cm²

6cm인 밑변의 높이는 8cm,
12cm인 밑변의 높이는 4cm

방법 1
식   10×3÷2=15
답   15 cm²

방법 2
식   6×5÷2=15
답   15 cm²

10cm인 밑변의 높이는 3cm,
6cm인 밑변의 높이는 5cm

곱하는 두 수의 순서는 바뀌어도 정답입니다.

15일 넓이가 같은 도형

11 넓이가 다른 평행사변형 하나를 찾아 기호를 써 보세요.

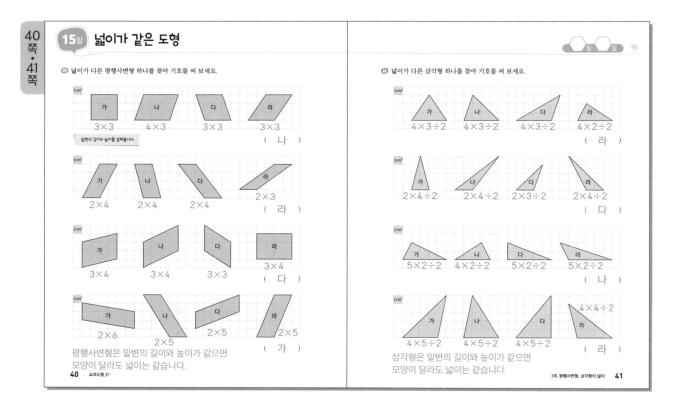

가 3×3
나 4×3
다 3×3
라 3×3

밑변의 길이와 높이를 살펴봅니다.

(나)

가 2×4
나 2×4
다 2×4
라 2×3

(라)

가
나 3×4
다 3×3
라 3×4

(다)

가 2×6
나 2×5
다 2×5
라 2×5

(가)

평행사변형은 밑변의 길이와 높이가 같으면
모양이 달라도 넓이는 같습니다.

40 교과도형_E1

12 넓이가 다른 삼각형 하나를 찾아 기호를 써 보세요.

가 4×3÷2
나 4×3÷2
다 4×3÷2
라 4×2÷2

(라)

가 2×4÷2
나 2×4÷2
다 2×3÷2
라 2×4÷2

(다)

가 5×2÷2
나 4×2÷2
다 5×2÷2
라 5×2÷2

(나)

가 4×5÷2
나 4×5÷2
다 4×5÷2
라 4×4÷2

(라)

삼각형은 밑변의 길이와 높이가 같으면
모양이 달라도 넓이는 같습니다.

3주. 평행사변형, 삼각형의 넓이 **41**

13 주어진 넓이의 평행사변형과 삼각형을 서로 다른 모양으로 3개씩 그려 보세요.

넓이가 12 cm²인 평행사변형

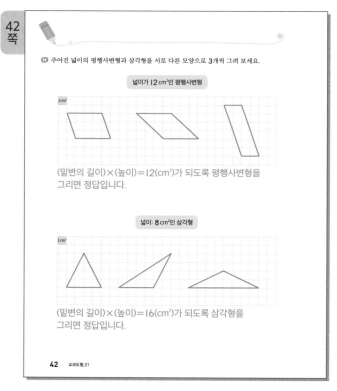

(밑변의 길이)×(높이)=12(cm²)가 되도록 평행사변형을
그리면 정답입니다.

넓이: 8 cm²인 삼각형

(밑변의 길이)×(높이)=16(cm²)가 되도록 삼각형을
그리면 정답입니다.

42 교과도형_E1

[삼각형의 넓이]

1. 삼각형 2개를 붙여 구하기

삼각형 2개를 붙이면 평행사변형을 만들 수 있으므로
삼각형의 넓이는 평행사변형의 넓이를 2로 나눕니다.

(밑변의 길이) × (높이) ÷ 2

2. 삼각형을 잘라서 붙여 구하기

밑변과 평행하도록 높이의 절반만큼 잘라서 붙이면
평행사변형을 만들 수 있으므로 삼각형의 넓이는 밑변
의 길이와 높이의 반을 곱합니다.

(밑변의 길이) × (높이) ÷ 2

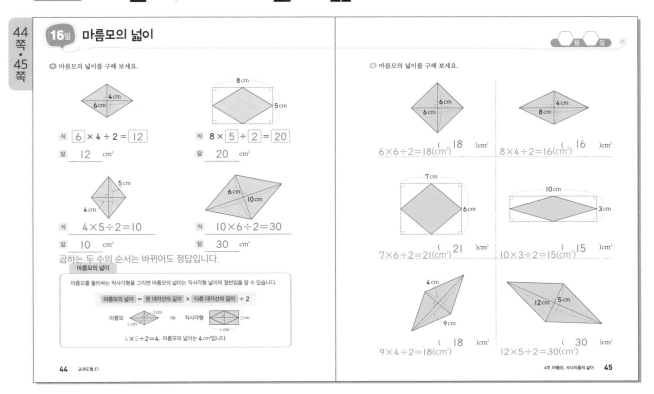

44쪽·45쪽

16일 마름모의 넓이

① 마름모의 넓이를 구해 보세요.

식 $6 \times 4 \div 2 = \boxed{12}$
답 12 cm²

식 $8 \times \boxed{5} \div 2 = \boxed{20}$
답 20 cm²

식 $4 \times 5 \div 2 = 10$
답 10 cm²

식 $10 \times 6 \div 2 = 30$
답 30 cm²

곱하는 두 수의 순서는 바뀌어도 정답입니다.

마름모의 넓이
마름모를 둘러싸는 직사각형을 그리면 마름모의 넓이는 직사각형 넓이의 절반임을 알 수 있습니다.

마름모의 넓이 = 한 대각선의 길이 × 다른 대각선의 길이 ÷ 2

마름모 ➡ 직사각형

$4 \times 2 \div 2 = 4$. 마름모의 넓이는 4 cm²입니다.

② 마름모의 넓이를 구해 보세요.

$6 \times 6 \div 2 = 18(cm^2)$ (18)cm²

$8 \times 4 \div 2 = 16(cm^2)$ (16)cm²

$7 \times 6 \div 2 = 21(cm^2)$ (21)cm²

$10 \times 3 \div 2 = 15(cm^2)$ (15)cm²

$9 \times 4 \div 2 = 18(cm^2)$ (18)cm²

$12 \times 5 \div 2 = 30(cm^2)$ (30)cm²

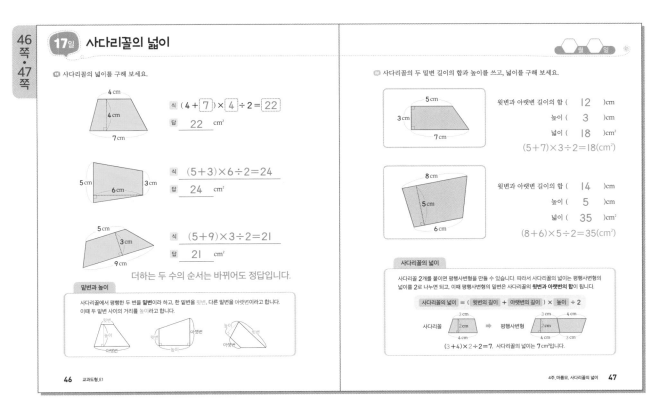

46쪽·47쪽

17일 사다리꼴의 넓이

① 사다리꼴의 넓이를 구해 보세요.

식 $(4 + \boxed{7}) \times \boxed{4} \div 2 = \boxed{22}$
답 22 cm²

식 $(5 + 3) \times 6 \div 2 = 24$
답 24 cm²

식 $(5 + 9) \times 3 \div 2 = 21$
답 21 cm²

더하는 두 수의 순서는 바뀌어도 정답입니다.

밑변과 높이
사다리꼴에서 평행한 두 변을 **밑변**이라 하고, 한 밑변을 **윗변**, 다른 밑변을 **아랫변**이라고 합니다.
이때 두 밑변 사이의 거리를 **높이**라고 합니다.

② 사다리꼴의 두 밑변 길이의 합과 높이를 쓰고, 넓이를 구해 보세요.

윗변과 아랫변 길이의 합 (12)cm
높이 (3)cm
넓이 (18)cm²
$(5 + 7) \times 3 \div 2 = 18(cm^2)$

윗변과 아랫변 길이의 합 (14)cm
높이 (5)cm
넓이 (35)cm²
$(8 + 6) \times 5 \div 2 = 35(cm^2)$

사다리꼴의 넓이
사다리꼴 2개를 붙이면 평행사변형을 만들 수 있습니다. 따라서 사다리꼴의 넓이는 평행사변형의 넓이를 2로 나누면 되고, 이때 평행사변형의 밑변은 사다리꼴의 **윗변과 아랫변**의 합이 됩니다.

사다리꼴의 넓이 = (윗변의 길이 + 아랫변의 길이) × 높이 ÷ 2

사다리꼴 ➡ 평행사변형

$(3 + 4) \times 2 \div 2 = 7$. 사다리꼴의 넓이는 7 cm²입니다.

정답

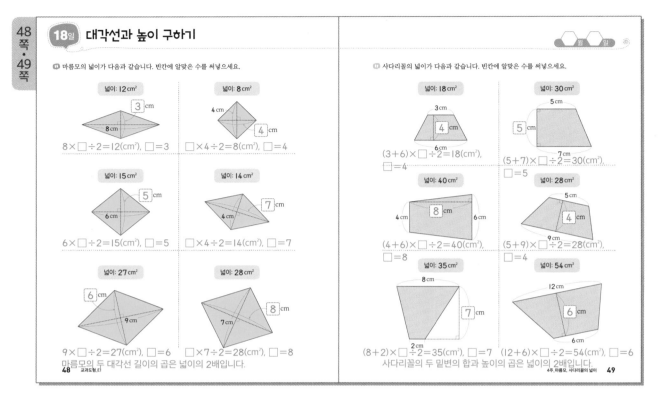

18일 대각선과 높이 구하기

⑪ 마름모의 넓이가 다음과 같습니다. 빈칸에 알맞은 수를 써넣으세요.

넓이: 12cm²

3 cm

8cm

$8 \times \square \div 2 = 12(cm^2)$, $\square = 3$

넓이: 8cm²

4cm

4 cm

$\square \times 4 \div 2 = 8(cm^2)$, $\square = 4$

넓이: 15cm²

5 cm

6cm

$6 \times \square \div 2 = 15(cm^2)$, $\square = 5$

넓이: 14cm²

7 cm

4cm

$\square \times 4 \div 2 = 14(cm^2)$, $\square = 7$

넓이: 27cm²

6 cm

9cm

$9 \times \square \div 2 = 27(cm^2)$, $\square = 6$

넓이: 28cm²

8 cm

7cm

$\square \times 7 \div 2 = 28(cm^2)$, $\square = 8$

마름모의 두 대각선 길이의 곱은 넓이의 2배입니다.

⑫ 사다리꼴의 넓이가 다음과 같습니다. 빈칸에 알맞은 수를 써넣으세요.

넓이: 18cm²

3cm

4 cm

6cm

$(3+6) \times \square \div 2 = 18(cm^2)$, $\square = 4$

넓이: 30cm²

5cm

5 cm

7cm

$(5+7) \times \square \div 2 = 30(cm^2)$, $\square = 5$

넓이: 40cm²

4cm

8

6cm

$(4+6) \times \square \div 2 = 40(cm^2)$, $\square = 8$

넓이: 28cm²

5cm

4 cm

9cm

$(5+9) \times \square \div 2 = 28(cm^2)$, $\square = 4$

넓이: 35cm²

8cm

7 cm

2cm

$(8+2) \times \square \div 2 = 35(cm^2)$, $\square = 7$

넓이: 54cm²

12cm

6 cm

6cm

$(12+6) \times \square \div 2 = 54(cm^2)$, $\square = 6$

사다리꼴의 두 밑변의 합과 높이의 곱은 넓이의 2배입니다.

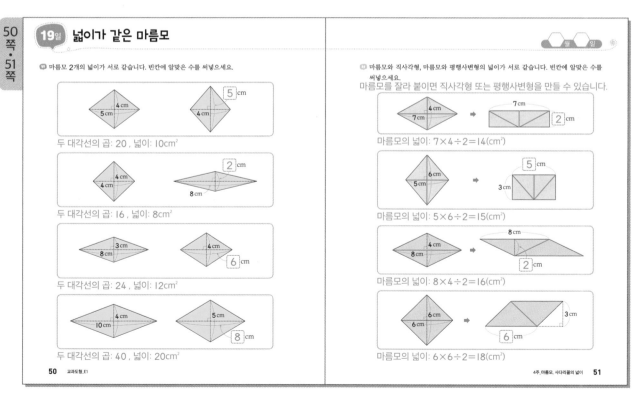

19일 넓이가 같은 마름모

⑪ 마름모 2개의 넓이가 서로 같습니다. 빈칸에 알맞은 수를 써넣으세요.

4cm

5cm

5 cm

4cm

두 대각선의 곱: 20 , 넓이: 10cm²

4cm

4cm

2 cm

8cm

두 대각선의 곱: 16 , 넓이: 8cm²

3cm

8cm

4cm

6 cm

두 대각선의 곱: 24 , 넓이: 12cm²

4cm

10cm

5cm

8 cm

두 대각선의 곱: 40 , 넓이: 20cm²

⑫ 마름모와 직사각형, 마름모와 평행사변형의 넓이가 서로 같습니다. 빈칸에 알맞은 수를 써넣으세요.

마름모를 잘라 붙이면 직사각형 또는 평행사변형을 만들 수 있습니다.

4cm

7cm

→

7cm

2 cm

마름모의 넓이: $7 \times 4 \div 2 = 14(cm^2)$

6cm

5cm

→

5 cm

3cm

마름모의 넓이: $5 \times 6 \div 2 = 15(cm^2)$

4cm

8cm

→

8cm

2 cm

마름모의 넓이: $8 \times 4 \div 2 = 16(cm^2)$

6cm

6cm

→

6 cm

3cm

마름모의 넓이: $6 \times 6 \div 2 = 18(cm^2)$

20일 넓이가 같은 사다리꼴

표를 완성하여 사다리꼴의 넓이를 구해 보세요.

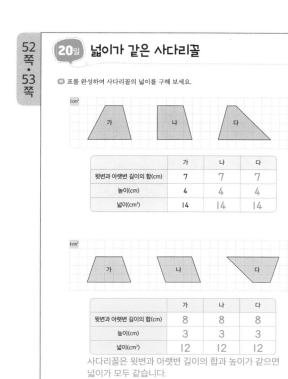

	가	나	다
윗변과 아랫변 길이의 합(cm)	7	7	7
높이(cm)	4	4	4
넓이(cm²)	14	14	14

	가	나	다
윗변과 아랫변 길이의 합(cm)	8	8	8
높이(cm)	3	3	3
넓이(cm²)	12	12	12

사다리꼴은 윗변과 아랫변 길이의 합과 높이가 같으면
넓이가 모두 같습니다.

52 교과도형_E1

넓이가 다른 사다리꼴 하나를 찾아 기호를 써 보세요.

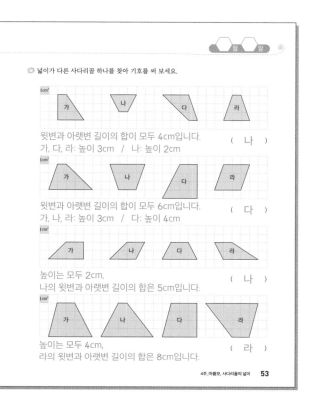

윗변과 아랫변 길이의 합이 모두 4cm입니다.
가, 다, 라: 높이 3cm / 나: 높이 2cm   (나)

윗변과 아랫변 길이의 합이 모두 6cm입니다.
가, 나, 라: 높이 3cm / 다: 높이 4cm   (다)

높이는 모두 2cm,
나의 윗변과 아랫변 길이의 합은 5cm입니다.   (나)

높이는 모두 4cm,
라의 윗변과 아랫변 길이의 합은 8cm입니다.   (라)

사다리꼴을 삼각형 2개로 나누었습니다. 빈칸에 알맞은 수를 써넣으세요.

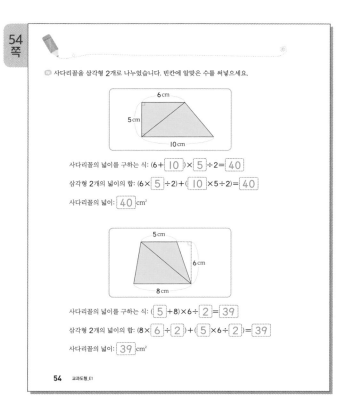

사다리꼴의 넓이를 구하는 식: (6+ 10)× 5 ÷2= 40

삼각형 2개의 넓이의 합: (6× 5 ÷2)+(10 ×5÷2)= 40

사다리꼴의 넓이: 40 cm²

사다리꼴의 넓이를 구하는 식: (5 +8)×6÷ 2 = 39

삼각형 2개의 넓이의 합: (8× 6 ÷ 2)+(5 ×6÷ 2)= 39

사다리꼴의 넓이: 39 cm²

54 교과도형_E1

[마름모의 넓이]

1. 마름모를 둘러싸는 직사각형을 그려 구하기

마름모를 둘러싸는 직사각형을 그리면 마름모의 넓이
는 직사각형 넓이의 절반입니다.

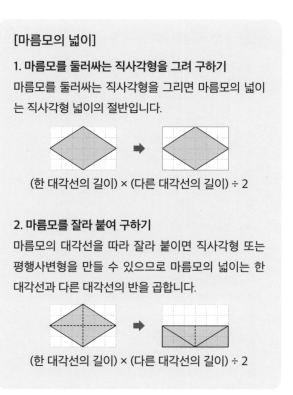

(한 대각선의 길이) × (다른 대각선의 길이) ÷ 2

2. 마름모를 잘라 붙여 구하기

마름모의 대각선을 따라 잘라 붙이면 직사각형 또는
평행사변형을 만들 수 있으므로 마름모의 넓이는 한
대각선과 다른 대각선의 반을 곱합니다.

(한 대각선의 길이) × (다른 대각선의 길이) ÷ 2

정답

도형플러스+ 다각형의 둘레와 넓이

PLUS 1 꺾인 도형의 둘레

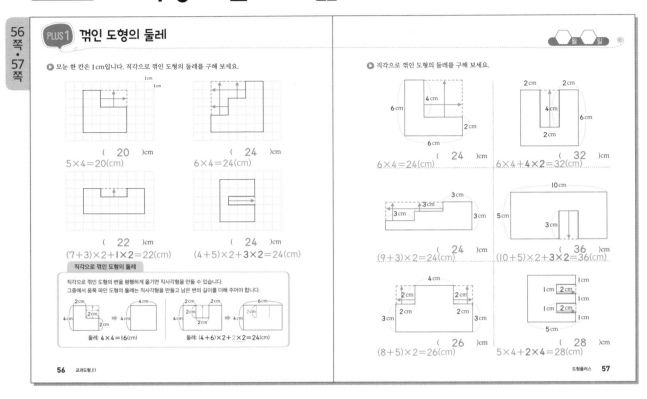

모눈 한 칸은 1cm입니다. 직각으로 꺾인 도형의 둘레를 구해 보세요.

(20)cm
5×4=20(cm)

(24)cm
6×4=24(cm)

(22)cm
(7+3)×2+1×2=22(cm)

(24)cm
(4+5)×2+3×2=24(cm)

직각으로 꺾인 도형의 둘레
직각으로 꺾인 도형의 변을 평행하게 옮기면 직사각형을 만들 수 있습니다.
그중에서 움푹 파인 도형의 둘레는 직사각형을 만들고 남은 변의 길이를 더해 주어야 합니다.

둘레: 4×4=16(cm)

둘레: (4+6)×2+2×2=24(cm)

직각으로 꺾인 도형의 둘레를 구해 보세요.

(24)cm
6×4=24(cm)

(32)cm
6×4+4×2=32(cm)

(24)cm
(9+3)×2=24(cm)

(36)cm
(10+5)×2+3×2=36(cm)

(26)cm
(8+5)×2=26(cm)

(28)cm
5×4+2×4=28(cm)

PLUS 2 꺾인 도형의 넓이

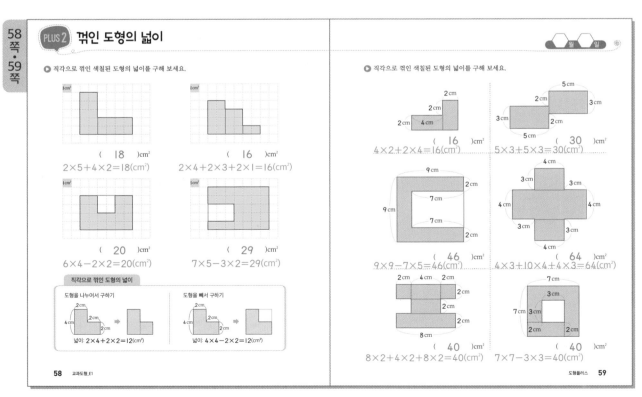

직각으로 꺾인 색칠된 도형의 넓이를 구해 보세요.

(18)cm²
2×5+4×2=18(cm²)

(16)cm²
2×4+2×3+2×1=16(cm²)

(20)cm²
6×4−2×2=20(cm²)

(29)cm²
7×5−3×2=29(cm²)

직각으로 꺾인 도형의 넓이

도형을 나누어서 구하기

넓이: 2×4+2×2=12(cm²)

도형을 빼서 구하기

넓이: 4×4−2×2=12(cm²)

직각으로 꺾인 색칠된 도형의 넓이를 구해 보세요.

(16)cm²
4×2+2×4=16(cm²)

(30)cm²
5×3+5×3=30(cm²)

(46)cm²
9×9−7×5=46(cm²)

(64)cm²
4×3+10×4+4×3=64(cm²)

(40)cm²
8×2+4×2+8×2=40(cm²)

(40)cm²
7×7−3×3=40(cm²)

PLUS 3 다각형의 넓이

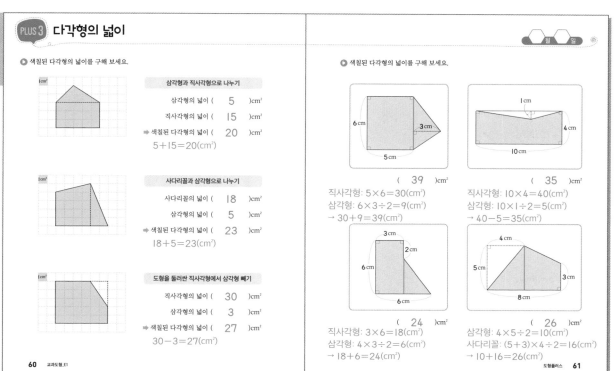

◎ 색칠된 다각형의 넓이를 구해 보세요.

삼각형과 직사각형으로 나누기

삼각형의 넓이 (5)cm²

직사각형의 넓이 (15)cm²

➡ 색칠된 다각형의 넓이 (20)cm²

5+15=20(cm²)

사다리꼴과 삼각형으로 나누기

사다리꼴의 넓이 (18)cm²

삼각형의 넓이 (5)cm²

➡ 색칠된 다각형의 넓이 (23)cm²

18+5=23(cm²)

도형을 둘러싼 직사각형에서 삼각형 빼기

직사각형의 넓이 (30)cm²

삼각형의 넓이 (3)cm²

➡ 색칠된 다각형의 넓이 (27)cm²

30-3=27(cm²)

◎ 색칠된 다각형의 넓이를 구해 보세요.

(39)cm²

직사각형: 5×6=30(cm²)

삼각형: 6×3÷2=9(cm²)

→ 30+9=39(cm²)

(35)cm²

직사각형: 10×4=40(cm²)

삼각형: 10×1÷2=5(cm²)

→ 40-5=35(cm²)

(24)cm²

직사각형: 3×6=18(cm²)

삼각형: 4×3÷2=6(cm²)

→ 18+6=24(cm²)

(26)cm²

삼각형: 4×5÷2=10(cm²)

사다리꼴: (5+3)×4÷2=16(cm²)

→ 10+16=26(cm²)

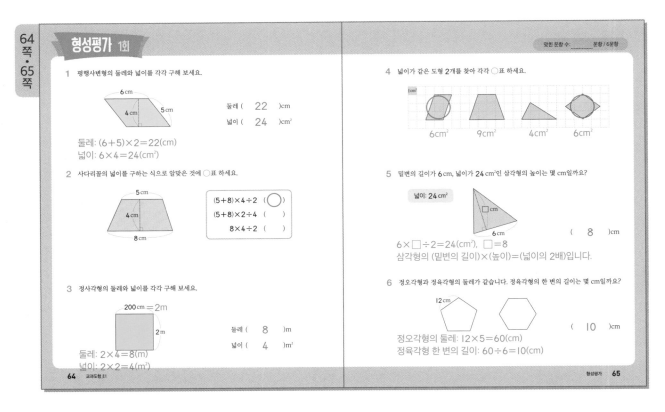

형성평가 1회

64쪽·65쪽

맞힌 문항 수: 문항 / 6문항

1 평행사변형의 둘레와 넓이를 각각 구해 보세요.

둘레 (22)cm

넓이 (24)cm²

둘레: (6+5)×2=22(cm)
넓이: 6×4=24(cm²)

2 사다리꼴의 넓이를 구하는 식으로 알맞은 것에 ○표 하세요.

(5+8)×4÷2 (○)
(5+8)×2÷4 ( )
8×4÷2 ( )

3 정사각형의 둘레와 넓이를 각각 구해 보세요.

200cm=2m

둘레 (8)m

넓이 (4)m²

둘레: 2×4=8(m)
넓이: 2×2=4(m²)

4 넓이가 같은 도형 2개를 찾아 각각 ○표 하세요.

6cm²   9cm²   4cm²   6cm²

5 밑변의 길이가 6cm, 넓이가 24cm²인 삼각형의 높이는 몇 cm일까요?

넓이: 24cm²

(8)cm

6×□÷2=24(cm²), □=8
삼각형의 (밑변의 길이)×(높이)=(넓이의 2배)입니다.

6 정오각형과 정육각형의 둘레가 같습니다. 정육각형의 한 변의 길이는 몇 cm일까요?

12cm

(10)cm

정오각형의 둘레: 12×5=60(cm)
정육각형 한 변의 길이: 60÷6=10(cm)

64 교과도형_E1

형성평가 65

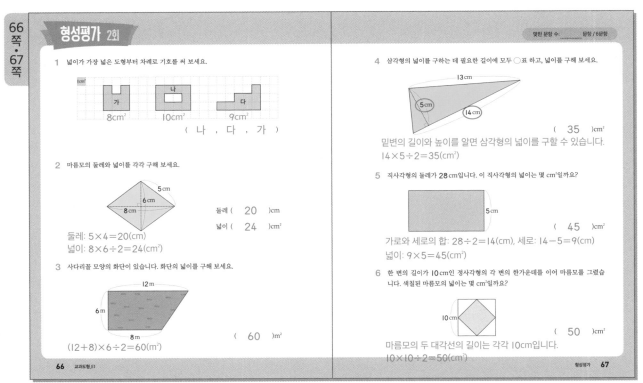

형성평가 2회

66쪽·67쪽

맞힌 문항 수: 문항 / 6문항

1 넓이가 가장 넓은 도형부터 차례로 기호를 써 보세요.

가   나   다
8cm² 10cm² 9cm²

(나 , 다 , 가)

2 마름모의 둘레와 넓이를 각각 구해 보세요.

5cm
6cm
8cm

둘레 (20)cm

넓이 (24)cm²

둘레: 5×4=20(cm)
넓이: 8×6÷2=24(cm²)

3 사다리꼴 모양의 화단이 있습니다. 화단의 넓이를 구해 보세요.

12m
6m
8m

(60)m²

(12+8)×6÷2=60(m²)

4 삼각형의 넓이를 구하는 데 필요한 길이에 모두 ○표 하고, 넓이를 구해 보세요.

13cm
5cm
14cm

(35)cm²

밑변의 길이와 높이를 알면 삼각형의 넓이를 구할 수 있습니다.
14×5÷2=35(cm²)

5 직사각형의 둘레가 28cm입니다. 이 직사각형의 넓이는 몇 cm²일까요?

5cm

(45)cm²

가로와 세로의 합: 28÷2=14(cm), 세로: 14-5=9(cm)
넓이: 9×5=45(cm²)

6 한 변의 길이가 10cm인 정사각형의 각 변의 한가운데를 이어 마름모를 그렸습니다. 색칠된 마름모의 넓이는 몇 cm²일까요?

10cm

(50)cm²

마름모의 두 대각선의 길이는 각각 10cm입니다.
10×10÷2=50(cm²)

66 교과도형_E1

형성평가 67

16 교과도형_E1

"한 권이면 충분합니다."

도형을 다양한 문장과 그림,
수식으로 표현합니다.

감각
sense

표현
expression

측정
measurement

도형 학습의 바탕이 되는
공간감각을 길러줍니다.

측정을 더하여
도형 학습을 완성합니다.